THÉÂTRE I

OUVRAGES
DE SAMUEL BECKETT

Romans et Nouvelles

MURPHY.

WATT.

PREMIER AMOUR.

MERCIER ET CAMIER.

MOLLOY.

MALONE MEURT.

L'INNOMMABLE.

NOUVELLES (L'expulsé, Le calmant, La fin) ET TEXTES POUR
RIEN.

COMMENT C'EST.

TÊTES-MORTES (D'un ouvrage abandonné, Assez, Imagination
morte imaginez, Bing).

Théâtre, Télévision et Radio

EN ATTENDANT GODOT.

FIN DE PARTIE, *suivi de* ACTE SANS PAROLES I.

TOUS CEUX QUI TOMBENT.

LA DERNIÈRE BANDE, *suivi de* CENDRES.

OH LES BEAUX JOURS.

COMÉDIE ET ACTES DIVERS (Va et vient, Cascando, Paroles et
musique, Dis Joe, Acte sans paroles II).

En édition reliée

MOLLOY.

MALONE MEURT.

L'INNOMMABLE.

THÉÂTRE I (En attendant Godot, Fin de partie, Acte sans
paroles I, Acte sans paroles II).

SAMUEL BECKETT

THÉÂTRE I

EN ATTENDANT GODOT
FIN DE PARTIE
ACTE SANS PAROLE I
ACTE SANS PAROLE II

LES ÉDITIONS DE MINUIT

EN ATTENDANT
GODOT

En attendant Godot *a été créée le 5 janvier 1953 au théâtre Baby-
lone, dans une mise en scène de Roger Blin et avec la distribution suivante :*

ESTRAGON . . . . Pierre Latour
VLADIMIR . . . . Lucien Raimbourg.
LUCKY . . . . Jean Martin.
POZZO . . . . Roger Blin.
UN JEUNE GARÇON . . . . Serge Lecointe.

ACTE PREMIER

Route à la campagne, avec arbre.

Soir.

Estragon, assis sur une pierre, essaie d'enlever sa chaussure. Il s'y acharne des deux mains, en ahanant. Il s'arrête, à bout de forces, se repose en haletant, recommence. Même jeu.

Entre Vladimir.

ESTRAGON *(renonçant à nouveau)*. — Rien à faire.
VLADIMIR *(s'approchant à petits pas raides, les jambes écartées)*. — Je commence à le croire. *(Il s'immobilise.)* J'ai longtemps résisté à cette pensée, en me disant, Vladimir, sois raisonnable, tu n'as pas encore tout essayé. Et je reprenais le combat. *(Il se recueille, songeant au combat. A Estragon.)* — Alors, te revoilà, toi.
ESTRAGON. — Tu crois?
VLADIMIR. — Je suis content de te revoir. Je te croyais parti pour toujours.

9

ESTRAGON. — Moi aussi.

VLADIMIR. — Que faire pour fêter cette réunion? *(Il réfléchit.)* Lève-toi que je t'embrasse.

Il tend la main à Estragon.

ESTRAGON *(avec irritation).* — Tout à l'heure, tout à l'heure.

Silence.

VLADIMIR *(froissé, froidement).* — Peut-on savoir où monsieur a passé la nuit?

ESTRAGON. — Dans un fossé.

VLADIMIR *(épaté).* — Un fossé! Où ça?

ESTRAGON *(sans geste).* — Par là.

VLADIMIR. — Et on ne t'a pas battu?

ESTRAGON. — Si... Pas trop.

VLADIMIR. — Toujours les mêmes?

ESTRAGON. — Les mêmes? Je ne sais pas.

Silence.

VLADIMIR. — Quand j'y pense... depuis le temps... je me demande... ce que tu serais devenu... sans moi... *(Avec décision.)* Tu ne serais plus qu'un petit tas d'ossements à l'heure qu'il est, pas d'erreur.

ESTRAGON *(piqué au vif).* — Et après?

VLADIMIR *(accablé).* — C'est trop pour un seul homme. *(Un temps. Avec vivacité.)* D'un autre côté, à quoi bon se décourager à présent, voilà

ce que je me dis. Il fallait y penser il y a une éternité, vers 1900.

ESTRAGON. — Assez. Aide-moi à enlever cette saloperie.

VLADIMIR. — La main dans la main on se serait jetés en bas de la tour Eiffel, parmi les premiers. On portait beau alors. Maintenant il est trop tard. On ne nous laisserait même pas monter. (*Estragon s'acharne sur sa chaussure.*) Qu'est-ce que tu fais?

ESTRAGON. — Je me déchausse. Ça ne t'est jamais arrivé, à toi?

VLADIMIR. — Depuis le temps que je te dis qu'il faut les enlever tous les jours. Tu ferais mieux de m'écouter.

ESTRAGON (*faiblement*). — Aide-moi!

VLADIMIR. — Tu as mal?

ESTRAGON. — Mal! Il me demande si j'ai mal!

VLADIMIR (*avec emportement*). — Il n'y a jamais que toi qui souffres! Moi je ne compte pas. Je voudrais pourtant te voir à ma place. Tu m'en dirais des nouvelles.

ESTRAGON. — Tu as eu mal?

VLADIMIR. — Mal! Il me demande si j'ai eu mal!

ESTRAGON (*pointant l'index*). — Ce n'est pas une raison pour ne pas te boutonner.

VLADIMIR (*se penchant*). — C'est vrai. (*Il se boutonne.*) Pas de laisser-aller dans les petites choses.

ESTRAGON. — Qu'est-ce que tu veux que je te dise, tu attends toujours le dernier moment.

VLADIMIR *(rêveusement)*. —Le dernier moment... *(Il médite.)* C'est long, mais ce sera bon. Qui disait ça?

ESTRAGON. — Tu ne veux pas m'aider?

VLADIMIR. — Des fois je me dis que ça vient quand même. Alors je me sens tout drôle. *(Il ôte son chapeau, regarde dedans, y promène sa main, le secoue, le remet.)* Comment dire? Soulagé et en même temps... *(il cherche)* ...épouvanté. *(Avec emphase.)* É-POU-VAN-TÉ. *(Il ôte à nouveau son chapeau, regarde dedans.)* Ça alors! *(Il tape dessus comme pour en faire tomber quelque chose, regarde à nouveau dedans, le remet.)* Enfin... *(Estragon, au prix d'un suprême effort, parvient à enlever sa chaussure. Il regarde dedans, y promène la main, la retourne, la secoue, cherche par terre s'il n'en est pas tombé quelque chose, ne trouve rien, passe sa main à nouveau dans sa chaussure, les yeux vagues.)* Alors?

ESTRAGON. — Rien.

VLADIMIR. — Fais voir.

ESTRAGON. — Il n'y a rien à voir.

VLADIMIR. — Essaie de la remettre.

ESTRAGON *(ayant examiné son pied)*. — Je vais le laisser respirer un peu.

VLADIMIR. — Voilà l'homme tout entier, s'en

prenant à sa chaussure alors que c'est son pied le coupable. *(Il enlève encore une fois son chapeau, regarde dedans, y passe la main, le secoue, tape dessus, souffle dedans, le remet.)* Ça devient inquiétant. *(Silence. Estragon agite son pied, en faisant jouer les orteils, afin que l'air y circule mieux.)* Un des larrons fut sauvé. *(Un temps)*. C'est un pourcentage honnête. *(Un temps.)* Gogo...

ESTRAGON. — Quoi?

VLADIMIR. — Si on se repentait?

ESTRAGON. — De quoi?

VLADIMIR. — Eh bien... *(Il cherche.)* On n'aurait pas besoin d'entrer dans les détails.

ESTRAGON. — D'être né?

Vladimir part d'un bon rire qu'il réprime aussitôt, en portant sa main au pubis, le visage crispé.

VLADIMIR. — On n'ose même plus rire.

ESTRAGON. — Tu parles d'une privation.

VLADIMIR. — Seulement sourire. *(Son visage se fend dans un sourire maximum qui se fige, dure un bon moment, puis subitement s'éteint.)* Ce n'est pas la même chose. Enfin... *(Un temps.)* Gogo...

ESTRAGON *(agacé)*. — Qu'est-ce qu'il y a?

VLADIMIR. — Tu as lu la Bible?

ESTRAGON. — La Bible... *(Il réfléchit.)* J'ai dû y jeter un coup d'œil.

VLADIMIR *(étonné)*. — A l'école sans Dieu?

13

ESTRAGON. — Sais pas si elle était sans ou avec.

VLADIMIR. — Tu dois confondre avec la Roquette.

ESTRAGON. — Possible. Je me rappelle les cartes de la Terre sainte. En couleur. Très jolies. La mer Morte était bleu pâle. J'avais soif rien qu'en la regardant. Je me disais, C'est là que nous irons passer notre lune de miel. Nous nagerons. Nous serons heureux.

VLADIMIR. — Tu aurais dû être poète.

ESTRAGON. — Je l'ai été. *(Geste vers ses haillons.)* Ça ne se voit pas?

Silence.

VLADIMIR. — Qu'est-ce que je disais... Comment va ton pied?

ESTRAGON. — Il enfle.

VLADIMIR. — Ah oui, j'y suis, cette histoire de larrons. Tu t'en souviens?

ESTRAGON. — Non.

VLADIMIR. — Tu veux que je te la raconte?

ESTRAGON. — Non.

VLADIMIR. — Ça passera le temps. *(Un temps.)* C'étaient deux voleurs, crucifiés en même temps que le Sauveur. On...

ESTRAGON. — Le quoi?

VLADIMIR. — Le Sauveur. Deux voleurs. On dit

14

que l'un fut sauvé et l'autre... *(il cherche le contraire de sauvé)* ...damné.

ESTRAGON. — Sauvé de quoi?

VLADIMIR.— De l'enfer.

ESTRAGON. — Je m'en vais.

Il ne bouge pas.

VLADIMIR. — Et cependant... *(Un temps.)* Comment se fait-il que... Je ne t'ennuie pas, j'espère?

ESTRAGON. — Je n'écoute pas.

VLADIMIR. — Comment se fait-il que des quatre évangélistes un seul présente les faits de cette façon? Ils étaient cependant là tous les quatre — enfin, pas loin. Et un seul parle d'un larron de sauvé. *(Un temps.)* Voyons, Gogo, il faut me renvoyer la balle de temps en temps.

ESTRAGON. — J'écoute.

VLADIMIR. — Un sur quatre. Des trois autres, deux n'en parlent pas du tout et le troisième dit qu'ils l'ont engueulé tous les deux.

ESTRAGON. — Qui?

VLADIMIR. — Comment?

ESTRAGON. — Je ne comprends rien... *(Un temps.)* Engueulé qui?

VLADIMIR. — Le Sauveur.

ESTRAGON. — Pourquoi?

VLADIMIR. — Parce qu'il n'a pas voulu les sauver.

ESTRAGON. — De l'enfer?

VLADIMIR. — Mais non, voyons! De la mort.

ESTRAGON. — Et alors?

VLADIMIR. — Alors ils ont dû être damnés tous les deux.

ESTRAGON. — Et après?

VLADIMIR. — Mais l'autre dit qu'il y en a eu un de sauvé.

ESTRAGON. — Eh bien? Ils ne sont pas d'accord, un point c'est tout.

VLADIMIR. — Ils étaient là tous les quatre. Et un seul parle d'un larron de sauvé. Pourquoi le croire plutôt que les autres?

ESTRAGON. — Qui le croit?

VLADIMIR. — Mais tout le monde. On ne connaît que cette version-là.

ESTRAGON. — Les gens sont des cons.

Il se lève péniblement, va en boitillant vers la coulisse gauche, s'arrête, regarde au loin, la main en écran devant les yeux, se retourne, va vers la coulisse droite, regarde au loin. Vladimir le suit des yeux, puis va ramasser la chaussure, regarde dedans, la lâche précipitamment.

VLADIMIR. — Pah! *(Il crache par terre.)*

Estragon revient au centre de la scène, regarde vers le fond.

ESTRAGON. — Endroit délicieux. *(Il se retourne, avance jusqu'à la rampe, regarde vers le public.)* Aspects riants. *(Il se tourne vers Vladimir.)* Allons-nous-en.

VLADIMIR. — On ne peut pas.

ESTRAGON. — Pourquoi?

VLADIMIR. — On attend Godot.

ESTRAGON. — C'est vrai. *(Un temps.)* Tu es sûr que c'est ici?

VLADIMIR. — Quoi?

ESTRAGON. — Qu'il faut attendre.

VLADIMIR. — Il a dit devant l'arbre. *(Ils regardent l'arbre.)* Tu en vois d'autres?

ESTRAGON. — Qu'est-ce que c'est?

VLADIMIR. — On dirait un saule.

ESTRAGON. — Où sont les feuilles?

VLADIMIR. — Il doit être mort.

ESTRAGON. — Finis les pleurs.

VLADIMIR. — A moins que ce ne soit pas la saison.

ESTRAGON. — Ce ne serait pas plutôt un arbrisseau?

VLADIMIR. — Un arbuste.

ESTRAGON. — Un arbrisseau.

VLADIMIR. — Un — *(Il se reprend)*. Qu'est-ce que tu veux insinuer? Qu'on s'est trompé d'endroit?

ESTRAGON. — Il devrait être là.

VLADIMIR. — Il n'a pas dit ferme qu'il viendrait.

ESTRAGON. — Et s'il ne vient pas?

VLADIMIR. — Nous reviendrons demain.

ESTRAGON. — Et puis après-demain.

VLADIMIR. — Peut-être.

ESTRAGON. — Et ainsi de suite.

VLADIMIR. — C'est-à-dire...

ESTRAGON. — Jusqu'à ce qu'il vienne.

VLADIMIR. — Tu es impitoyable.

ESTRAGON. — Nous sommes déjà venus hier.

VLADIMIR. — Ah non, là tu te goures.

ESTRAGON. — Qu'est-ce que nous avons fait hier?

VLADIMIR. — Ce que nous avons fait hier?

ESTRAGON. — Oui.

VLADIMIR. — Ma foi... *(Se fâchant.)* Pour jeter le doute, à toi le pompon.

ESTRAGON. — Pour moi, nous étions ici.

VLADIMIR *(regard circulaire)*. — L'endroit te semble familier?

ESTRAGON. — Je ne dis pas ça.

VLADIMIR. — Alors?

ESTRAGON. — Ça n'empêche pas.

VLADIMIR. — Tout de même... cet arbre... *(se tournant vers le public)* ...cette tourbière.

ESTRAGON. — Tu es sûr que c'était ce soir?

VLADIMIR. — Quoi?

ESTRAGON. — Qu'il fallait attendre?

VLADIMIR. — Il a dit samedi. *(Un temps.)* Il me semble.

ESTRAGON. — Après le turbin.

VLADIMIR. — J'ai dû le noter.

Il fouille dans ses poches, archibondées de saletés de toutes sortes.

ESTRAGON. — Mais quel samedi? Et sommes-nous samedi? Ne serait-on pas plutôt dimanche? Ou lundi? Ou vendredi?

VLADIMIR *(regardant avec affolement autour de lui, comme si la date était inscrite dans le paysage).* — Ce n'est pas possible.

ESTRAGON. — Ou jeudi.

VLADIMIR. — Comment faire?

ESTRAGON. — S'il s'est dérangé pour rien hier soir, tu penses bien qu'il ne viendra pas aujourd'hui.

VLADIMIR. — Mais tu dis que nous sommes venus hier soir.

ESTRAGON. — Je peux me tromper. *(Un temps.)* Taisons-nous un peu, tu veux?

VLADIMIR *(faiblement).* — Je veux bien. *(Estragon se rassied. Vladimir arpente la scène avec agitation, s'arrête de temps en temps pour scruter l'horizon. Estragon s'endort. Vladimir s'arrête devant Estragon.)* Gogo... *(Silence.)* Gogo... *(Silence.)* Gogo!

Estragon se réveille en sursaut.

19

ESTRAGON *(rendu à toute l'horreur de sa situation)*. — Je dormais. *(Avec reproche.)* Pourquoi tu ne me laisses jamais dormir?

VLADIMIR. — Je me sentais seul.

ESTRAGON. — J'ai fait un rêve.

VLADIMIR. — Ne le raconte pas!

ESTRAGON. — Je rêvais que...

VLADIMIR. — NE LE RACONTE PAS !

ESTRAGON *(geste vers l'univers)*. — Celui-ci te suffit? *(Silence.)* Tu n'es pas gentil, Didi. A qui veux-tu que je raconte mes cauchemars privés, sinon à toi?

VLADIMIR. — Qu'ils restent privés. Tu sais bien que je ne supporte pas ça.

ESTRAGON *(froidement)*. — Il y a des moments où je me demande si on ne ferait pas mieux de se quitter.

VLADIMIR. — Tu n'irais pas loin.

ESTRAGON. — Ce serait là, en effet, un grave inconvénient. *(Un temps.)* N'est-ce pas, Didi, que ce serait là un grave inconvénient? *(Un temps.)* Étant donné la beauté du chemin. *(Un temps.)* Et la bonté des voyageurs. *(Un temps. Câlin.)* N'est-ce pas, Didi?

VLADIMIR. — Du calme.

ESTRAGON *(avec volupté)*. — Calme... Calme... *(Rêveusement)*. Les Anglais disent câââm. Ce sont

20

des gens câââms. *(Un temps.)* Tu connais l'histoire de l'Anglais au bordel?

ESTRAGON. — Oui.

ESTRAGON. — Raconte-la-moi.

VLADIMIR. — Assez.

ESTRAGON. — Un Anglais s'étant enivré se rend au bordel. La sous-maîtresse lui demande s'il désire une blonde, une brune ou une rousse. Continue.

VLADIMIR. — ASSEZ !

Vladimir sort. Estragon se lève et le suit jusqu'à la limite de la scène. Mimique d'Estragon, analogue à celle qu'arrachent au spectateur les efforts du pugiliste. Vladimir revient, passe devant Estragon, traverse la scène, les yeux baissés. Estragon fait quelques pas vers lui, s'arrête.

ESTRAGON *(avec douceur)*. — Tu voulais me parler? *(Vladimir ne répond pas. Estragon fait un pas en avant.)* Tu avais quelque chose à me dire? *(Silence. Autre pas en avant.)* Dis, Didi...

VLADIMIR *(sans se retourner)*. — Je n'ai rien à te dire.

ESTRAGON *(pas en avant)*. — Tu es fâché? *(Silence. Pas en avant.)* Pardon! *(Silence. Pas en avant. Il lui touche l'épaule.)* Voyons, Didi. *(Silence.)* Donne ta main! *(Vladimir se retourne.)* Embrasse-moi! *(Vladimir se raidit.)* Laisse-toi

faire! *(Vladimir s'amollit. Ils s'embrassent. Estragon recule.)* Tu pues l'ail!

VLADIMIR. — C'est pour les reins. *(Silence. Estragon regarde l'arbre avec attention.)* Qu'est-ce qu'on fait maintenant?

ESTRAGON. — On attend.

VLADIMIR. — Oui, mais en attendant?

ESTRAGON. — Si on se pendait?

VLADIMIR. — Ce serait un moyen de bander.

ESTRAGON *(aguiché)*. — On bande?

VLADIMIR. — Avec tout ce qui s'ensuit. Là où ça tombe il pousse des mandragores. C'est pour ça qu'elles crient quand on les arrache. Tu ne savais pas ça?

ESTRAGON. — Pendons-nous tout de suite.

VLADIMIR. — A une branche? *(Ils s'approchent de l'arbre et le regardent.)* Je n'aurais pas confiance.

ESTRAGON. — On peut toujours essayer.

VLADIMIR. — Essaie.

ESTRAGON. — Après toi.

VLADIMIR. — Mais non, toi d'abord.

ESTRAGON. — Pourquoi?

VLADIMIR. — Tu pèses moins lourd que moi.

ESTRAGON. — Justement.

VLADIMIR. — Je ne comprends pas.

ESTRAGON. — Mais réfléchis un peu, voyons.

Vladimir réfléchit.

VLADIMIR *(finalement)*. — Je ne comprends pas.

ESTRAGON. — Je vais t'expliquer. *(Il réfléchit.)* La branche... la branche... *(Avec colère.)* Mais essaie donc de comprendre!

VLADIMIR. — Je ne compte plus que sur toi.

ESTRAGON *(avec effort)*. — Gogo léger — branche pas casser — Gogo mort. Didi lourd — branche casser — Didi seul. *(Un temps.)* Tandis que... *(Il cherche l'expression juste.)*

VLADIMIR. — Je n'avais pas pensé à ça.

ESTRAGON *(ayant trouvé)*. — Qui peut le plus peut le moins.

VLADIMIR. — Mais est-ce que je pèse plus lourd que toi?

ESTRAGON. — C'est toi qui le dis. Moi je n'en sais rien. Il y a une chance sur deux. Ou presque.

VLADIMIR. — Alors, quoi faire?

ESTRAGON. — Ne faisons rien. C'est plus prudent.

VLADIMIR. — Attendons voir ce qu'il va nous dire.

ESTRAGON. — Qui?

VLADIMIR. — Godot.

ESTRAGON. — Voilà.

VLADIMIR. — Attendons d'être fixés d'abord.

ESTRAGON. — D'un autre côté, on ferait peut-être mieux de battre le fer avant qu'il soit glacé.

VLADIMIR. — Je suis curieux de savoir ce qu'il va nous dire. Ça ne nous engage à rien.

ESTRAGON. — Qu'est-ce qu'on lui a demandé au juste?

VLADIMIR. — Tu n'étais pas là?

ESTRAGON. — Je n'ai pas fait attention.

VLADIMIR. — Eh bien... Rien de bien précis.

ESTRAGON. — Une sorte de prière.

VLADIMIR. — Voilà.

ESTRAGON. — Une vague supplique.

VLADIMIR. — Si tu veux.

ESTRAGON. — Et qu'a-t-il répondu?

VLADIMIR. — Qu'il verrait.

ESTRAGON. — Qu'il ne pouvait rien promettre.

VLADIMIR. — Qu'il lui fallait réfléchir.

ESTRAGON. — A tête reposée.

VLADIMIR. — Consulter sa famille.

ESTRAGON. — Ses amis.

VLADIMIR. — Ses agents.

ESTRAGON. — Ses correspondants.

VLADIMIR. — Ses registres.

ESTRAGON. — Son compte en banque.

VLADIMIR. — Avant de se prononcer.

ESTRAGON. — C'est normal.

VLADIMIR. — N'est-ce pas?

ESTRAGON. — Il me semble.

VLADIMIR. — A moi aussi.

Repos.

ESTRAGON *(inquiet)*. — Et nous?

VLADIMIR. — Plaît-il?

ESTRAGON. — Je dis, Et nous?

VLADIMIR. — Je ne comprends pas.

ESTRAGON. — Quel est notre rôle là-dedans?

VLADIMIR. — Notre rôle?

ESTRAGON. — Prends ton temps.

VLADIMIR. — Notre rôle? Celui du suppliant.

ESTRAGON. — A ce point-là?

VLADIMIR. — Monsieur a des exigences à faire valoir?

ESTRAGON. — On n'a plus de droits?

Rire de Vladimir, auquel il coupe court comme au précédent. Même jeu, moins le sourire.

VLADIMIR. — Tu me ferais rire, si cela m'était permis.

ESTRAGON. — Nous les avons perdus?

VLADIMIR *(avec netteté)*. — Nous les avons bazardés.

Silence. Ils demeurent immobiles, bras ballants, tête sur la poitrine, cassés aux genoux.

ESTRAGON *(faiblement)*. — On n'est pas liés? *(Un temps.)* Hein?

VLADIMIR *(levant la main)*. — Écoute!

Ils écoutent, grotesquement figés.

ESTRAGON. — Je n'entends rien.

25

VLADIMIR. — Hsst! *(Ils écoutent. Estragon perd l'équilibre, manque de tomber. Il s'agrippe, au bras de Vladimir qui chancelle. Ils écoutent, tassés l'un contre l'autre, les yeux dans les yeux.)* Moi non plus.

Soupirs de soulagement. Détente. Ils s'éloignent l'un de l'autre.

ESTRAGON. — Tu m'as fait peur.

VLADIMIR. — J'ai cru que c'était lui.

ESTRAGON. — Qui?

VLADIMIR. — Godot.

ESTRAGON. — Pah! Le vent dans les roseaux.

VLADIMIR. — J'aurais juré des cris.

ESTRAGON. — Et pourquoi crierait-il?

VLADIMIR. — Après son cheval.

Silence.

ESTRAGON. — Allons-nous-en.

VLADIMIR. — Où? *(Un temps.)* Ce soir on couchera peut-être chez lui, au chaud, au sec, le ventre plein, sur la paille. Ça vaut la peine qu'on attende. Non?

ESTRAGON. — Pas toute la nuit.

VLADIMIR. — Il fait encore jour.

Silence.

ESTRAGON. — J'ai faim.

VLADIMIR. — Veux-tu une carotte?

ESTRAGON. — Il n'y a pas autre chose?

VLADIMIR. — Je dois avoir quelques navets.

ESTRAGON. — Donne-moi une carotte. *(Vladimir fouille dans ses poches, en retire un navet et le donne à Estragon.)* Merci. *(Il mord dedans. Plaintivement.)* C'est un navet!

VLADIMIR. — Oh pardon! j'aurais juré une carotte. *(Il fouille à nouveau dans ses poches, n'y trouve que des navets.)* Tout ça c'est des navets. *(Il cherche toujours.)* Tu as dû manger la dernière. *(Il cherche.)* Attends, ça y est. *(Il sort enfin une carotte et la donne à Estragon.)* Voilà, mon cher. *(Estragon l'essuie sur sa manche et commence à la manger.)* Rends-moi le navet. *(Estragon lui rend le navet.)* Fais-la durer, il n'y en a plus.

ESTRAGON *(tout en mâchant).* — Je t'ai posé une question.

VLADIMIR. — Ah.

ESTRAGON. — Est-ce que tu m'as répondu?

VLADIMIR. — Elle est bonne, ta carotte?

ESTRAGON. — Elle est sucrée.

VLADIMIR. — Tant mieux, tant mieux. *(Un temps.)* Qu'est-ce que tu voulais savoir?

ESTRAGON. — Je ne me rappelle plus. *(Il mâche.)* C'est ça qui m'embête. *(Il regarde la carotte avec délectation, la fait tourner en l'air du bout des doigts.)* Délicieuse, ta carotte. *(Il en suce méditativement le bout.)* Attends, ça me revient. *(Il arrache une bouchée.)*

VLADIMIR. — Alors?

ESTRAGON *(la bouche pleine, distraitement)*. — On n'est pas liés?

VLADIMIR. — Je n'entends rien.

ESTRAGON *(mâche, avale)*. — Je demande si on est liés.

VLADIMIR. — Liés?

ESTRAGON. — Li-és.

VLADIMIR. — Comment, liés?

ESTRAGON. — Pieds et poings.

VLADIMIR. — Mais à qui? Par qui?

ESTRAGON. — A ton bonhomme.

VLADIMIR. — A Godot? Liés à Godot? Quelle idée? Jamais de la vie! *(Un temps.)* Pas encore. *(Il ne fait pas la liaison.)*

ESTRAGON. — Il s'appelle Godot?

VLADIMIR. — Je crois.

ESTRAGON. — Tiens! *(Il soulève le restant de carotte par le bout de fane et le fait tourner devant ses yeux.)* C'est curieux, plus on va, moins c'est bon.

VLADIMIR. — Pour moi c'est le contraire.

ESTRAGON. — C'est-à-dire?

VLADIMIR. — Je me fais au goût au fur et à mesure.

ESTRAGON *(ayant longuement réfléchi)*. — C'est ça, le contraire?

VLADIMIR. — Question de tempérament.

ESTRAGON. — De caractère.

VLADIMIR. — On n'y peut rien.

ESTRAGON. — On a beau se démener.

VLADIMIR. — On reste ce qu'on est.

ESTRAGON. — On a beau se tortiller.

VLADIMIR. — Le fond ne change pas.

ESTRAGON. — Rien à faire. *(Il tend le restant de carotte à Vladimir.)* Veux-tu la finir?

Un cri terrible retentit, tout proche. Estragon lâche la carotte. Ils se figent, puis se précipitent vers la coulisse. Estragon s'arrête à mi-chemin, retourne sur ses pas, ramasse la carotte, la fourre dans sa poche, s'élance vers Vladimir qui l'attend, s'arrête à nouveau, retourne sur ses pas, ramasse sa chaussure, puis court rejoindre Vladimir. Enlacés, la tête dans les épaules, se détournant de la menace, ils attendent.

Entrent Pozzo et Lucky. Celui-là dirige celui-ci au moyen d'une corde passée autour du cou, de sorte qu'on ne voit d'abord que Lucky suivi de la corde, assez longue pour qu'il puisse arriver au milieu du plateau avant que Pozzo débouche de la coulisse. Lucky porte une lourde valise, un siège pliant, un panier à provisions et un manteau (sur le bras); Pozzo un fouet.

POZZO *(en coulisse).* — Plus vite! *(Bruit de fouet. Pozzo paraît. Ils traversent la scène. Lucky passe devant Vladimir et Estragon et sort. Pozzo, ayant*

vu Vladimir et Estragon, s'arrête. La corde se tend. Pozzo tire violemment dessus.) Arrière!

Bruit de chute. C'est Lucky qui tombe avec tout son chargement. Vladimir et Estragon le regardent, partagés entre l'envie d'aller à son secours et la peur de se mêler de ce qui ne les regarde pas. Vladimir fait un pas vers Lucky, Estragon le retient par la manche.

VLADIMIR. — Lâche-moi!

ESTRAGON. — Reste tranquille.

POZZO. — Attention! Il est méchant. *(Estragon et Vladimir le regardent.)* Avec les étrangers.

ESTRAGON *(bas)*. — C'est lui?

VLADIMIR. — Qui?

ESTRAGON. — Voyons...

VLADIMIR. — Godot?

ESTRAGON. — Voilà.

POZZO. — Je me présente : Pozzo.

VLADIMIR. — Mais non.

ESTRAGON. — Il a dit Godot.

VLADIMIR. — Mais non.

ESTRAGON *(à Pozzo)*. — Vous n'êtes pas monsieur Godot, monsieur?

POZZO *(d'une voix terrible)*. — Je suis Pozzo! *(Silence.)* Ce nom ne vous dit rien? *(Silence.)* Je vous demande si ce nom ne vous dit rien?

Vladimir et Estragon s'interrogent du regard.

ESTRAGON *(faisant semblant de chercher)*. — Bozzo... Bozzo...

VLADIMIR *(de même)*. — Pozzo...

POZZO. — PPPOZZO !

ESTRAGON. — Ah! Pozzo... voyons... Pozzo...

VLADIMIR. — C'est Pozzo ou Bozzo?

ESTRAGON. — Pozzo... non, je ne vois pas.

VLADIMIR *(conciliant)*. — J'ai connu une famille Gozzo. La mère brodait au tambour.

Pozzo avance, menaçant.

ESTRAGON *(vivement)*. — Nous ne sommes pas d'ici, monsieur.

POZZO *(s'arrêtant)*. — Vous êtes bien des êtres humains cependant. *(Il met ses lunettes.)* A ce que je vois. *(Il enlève ses lunettes.)* De la même espèce que moi. *(Il éclate d'un rire énorme.)* De la même espèce que Pozzo! D'origine divine!

VLADIMIR. — C'est-à-dire...

POZZO *(tranchant)*. — Qui est Godot?

ESTRAGON. — Godot?

POZZO. — Vous m'avez pris pour Godot.

VLADIMIR. — Oh non, monsieur, pas un seul instant, monsieur.

POZZO. — Qui est-ce?

VLADIMIR. — Eh bien, c'est un... c'est une connaissance.

31

ESTRAGON. — Mais non, voyons, on le connaît à peine.

VLADIMIR. — Évidemment... on ne le connaît pas très bien... mais tout de même...

ESTRAGON. — Pour ma part je ne le reconnaîtrais même pas.

POZZO. — Vous m'avez pris pour lui.

ESTRAGON. — C'est-à-dire... l'obscurité... la fatigue... la faiblesse... l'attente... j'avoue... j'ai cru... un instant...

VLADIMIR. — Ne l'écoutez pas, monsieur, ne l'écoutez pas!

POZZO. — L'attente? Vous l'attendiez donc?

VLADIMIR. — C'est-à-dire...

POZZO. — Ici? Sur mes terres?

VLADIMIR. — On ne pensait pas à mal.

ESTRAGON. — C'était dans une bonne intention.

POZZO. — La route est à tout le monde.

VLADIMIR. — C'est ce qu'on se disait.

POZZO. — C'est une honte, mais c'est ainsi.

ESTRAGON. — On n'y peut rien.

POZZO *(d'un geste large)*. — Ne parlons plus de ça. *(Il tire sur la corde.)* Debout! *(Un temps.)* Chaque fois qu'il tombe il s'endort. *(Il tire sur la corde.)* Debout, charogne! *(Bruit de Lucky qui se relève et ramasse ses affaires. Pozzo tire sur la corde.)* Arrière! *(Lucky entre à reculons.)* Arrêt! *(Lucky s'arrête.)* Tourne! *(Lucky se retourne. A*

Vladimir et Estragon, affablement.) Mes amis, je suis heureux de vous avoir rencontrés. *(Devant leur expression incrédule.)* Mais oui, sincèrement heureux. *(Il tire sur la corde.)* Plus près! *(Lucky avance.)* Arrêt! *(Lucky s'arrête. A Vladimir et Estragon.)* Voyez-vous, la route est longue quand on chemine tout seul pendant... *(il regarde sa montre)* ...pendant... *(il calcule)* ...six heures, oui, c'est bien ça, six heures à la file, sans rencontrer âme qui vive. *(A Lucky.)* Manteau! *(Lucky dépose la valise, avance, donne le manteau, recule, reprend la valise.)* Tiens ça. *(Pozzo lui tend le fouet, Lucky avance et, n'ayant plus de mains, se penche et prend le fouet entre ses dents, puis recule. Pozzo commence à mettre son manteau, s'arrête.)* Manteau! *(Lucky dépose tout, avance, aide Pozzo à mettre son manteau, recule, reprend tout.)* Le fond de l'air est frais. *(Il finit de boutonner son manteau, se penche, s'inspecte, se relève.)* Fouet! *(Lucky avance, se penche, Pozzo lui arrache le fouet de la bouche, Lucky recule.)* Voyez-vous, mes amis, je ne peux me passer long-temps de la société de mes semblables, *(il regarde les deux semblables)* même quand ils ne me ressemblent qu'imparfaitement. *(A Lucky.)* Pliant! *(Lucky dépose valise et panier, avance, ouvre le pliant, le pose par terre, recule, reprend valise et panier. Pozzo regarde le pliant.)* Plus près! *(Lucky dépose valise et panier, avance, déplace le pliant, recule, reprend*

33

3

valise et panier. Pozzo s'assied, pose le bout de son fouet contre la poitrine de Lucky et pousse.) Arrière! *(Lucky recule.)* Encore. *(Lucky recule encore.)* Arrêt! *(Lucky s'arrête. A Vladimir et Estragon.)* C'est pourquoi, avec votre permission, je m'en vais rester un moment auprès de vous, avant de m'aventurer plus avant. *(A Lucky.)* Panier! *(Lucky avance, donne le panier, recule.)* Le grand air, ça creuse. *(Il ouvre le panier, en retire un morceau de poulet, un morceau de pain et une bouteille de vin. A Lucky.)* Panier! *(Lucky avance, prend le panier, recule, s'immobilise.)* Plus loin! *(Lucky recule.)* Là! *(Lucky s'arrête.)* Il puc. *(Il boit une rasade à même le goulot.)* A la bonne nôtre.

Il dépose la bouteille et se met à manger.

Silence. Estragon et Vladimir, s'enhardissant peu à peu, tournent autour de Lucky, l'inspectent sur toutes les coutures. Pozzo mord dans son poulet avec voracité, jette les os après les avoir sucés. Lucky ploie lentement, jusqu'à ce que la valise frôle le sol, se redresse brusquement, recommence à ployer. Rythme de celui qui dort debout.

ESTRAGON. — Qu'est-ce qu'il a?
VLADIMIR. — Il a l'air fatigué.
ESTRAGON. — Pourquoi ne dépose-t-il pas ses bagages?

VLADIMIR. — Est-ce que je sais? *(Ils le serrent de plus près.)* Attention!

ESTRAGON. — Si on lui parlait?

VLADIMIR. — Regarde-moi ça!

ESTRAGON. — Quoi?

VLADIMIR *(indiquant).* — Le cou.

ESTRAGON *(regardant le cou).* — Je ne vois rien.

VLADIMIR. — Mets-toi ici.

Estragon se met à la place de Vladimir.

ESTRAGON. — En effet.

VLADIMIR. — A vif.

ESTRAGON. — C'est la corde.

VLADIMIR. — A force de frotter.

ESTRAGON. — Qu'est-ce que tu veux.

VLADIMIR. — C'est le nœud.

ESTRAGON. — C'est fatal.

Ils reprennent leur inspection, s'arrêtent au visage.

VLADIMIR. — Il n'est pas mal.

ESTRAGON *(levant les épaules, faisant la moue).* — Tu trouves?

VLADIMIR. — Un peu efféminé.

ESTRAGON. — Il bave.

VLADIMIR. — C'est forcé.

ESTRAGON. — Il écume.

VLADIMIR. — C'est peut-être un idiot.

ESTRAGON. — Un crétin.

VLADIMIR *(avançant la tête)*. — On dirait un goitre.

ESTRAGON *(même jeu)*. — Ce n'est pas sûr.

VLADIMIR. — Il halète.

ESTRAGON. — C'est normal.

VLADIMIR. — Et ses yeux!

ESTRAGON. — Qu'est-ce qu'ils ont?

VLADIMIR. — Ils sortent.

ESTRAGON. — Pour moi, il est en train de crever.

VLADIMIR. — Ce n'est pas sûr. *(Un temps.)* Pose-lui une question.

ESTRAGON. — Tu crois?

VLADIMIR. — Qu'est-ce qu'on risque?

ESTRAGON *(timidement)*. — Monsieur...

VLADIMIR. — Plus fort.

ESTRAGON *(plus fort)*. — Monsieur...

POZZO. — Foutez-lui la paix! *(Ils se tournent vers Pozzo qui, ayant fini de manger, s'essuie la bouche du revers de la main.)* Vous ne voyez pas qu'il veut se reposer? *(Il sort sa pipe et commence à la bourrer. Estragon remarque les os de poulet par terre, les fixe avec avidité. Pozzo frotte une allumette et commence à allumer sa pipe.)* Panier! *(Lucky ne bougeant pas, Pozzo jette l'allumette avec emportement et tire sur la corde.)* Panier! *(Lucky manque de tomber, revient à lui, avance, met la bouteille dans le panier, retourne à sa place, reprend son attitude. Estragon fixe les os, Pozzo frotte une seconde*

allumette et allume sa pipe.) Que voulez-vous, ce n'est pas son travail. *(Il aspire une bouffée, allonge les jambes.)* Ah! ça va mieux.

ESTRAGON *(timidement).* — Monsieur...

POZZO. — Qu'est-ce que c'est, mon brave?

ESTRAGON. — Heu... vous ne mangez pas... heu... vous n'avez plus besoin... des os... monsieur?

VLADIMIR *(outré).* — Tu ne pouvais pas attendre?

POZZO. — Mais non, mais non, c'est tout naturel. Si j'ai besoin des os? *(Il les remue du bout de son fouet.)* Non, personnellement je n'en ai plus besoin. *(Estragon fait un pas vers les os.)* Mais... *(Estragon s'arrête)* mais en principe les os reviennent au porteur. C'est donc à lui qu'il faut demander. *(Estragon se tourne vers Lucky, hésite.)* Mais demandez-lui, demandez-lui, n'ayez pas peur, il vous le dira.

Estragon va vers Lucky, s'arrête devant lui.

ESTRAGON. — Monsieur... pardon, monsieur...

Lucky ne réagit pas. Pozzo fait claquer son fouet. Lucky relève la tête.

POZZO. — On te parle, porc. Réponds. *(A Estragon.)* Allez-y.

ESTRAGON. — Pardon, monsieur, les os, vous les voulez?

Lucky regarde Estragon longuement.

37

Pozzo *(aux anges)*. — Monsieur! *(Lucky baisse la tête)*. Réponds! Tu les veux ou tu ne les veux pas? *(Silence de Lucky. A Estragon.)* Ils sont à vous. *(Estragon se jette sur les os, les ramasse et commence à les ronger.)* C'est pourtant bizarre. C'est bien la première fois qu'il me refuse un os. *(Il regarde Lucky avec inquiétude.)* J'espère qu'il ne va pas me faire la blague de tomber malade.

Il tire sur sa pipe.

VLADIMIR *(éclatant)*. — C'est une honte!

Silence. Estragon, stupéfait, s'arrête de ronger, regarde Vladimir et Pozzo tour à tour. Pozzo très calme. Vladimir de plus en plus gêné.

Pozzo *(à Vladimir)*. — Faites-vous allusion à quelque chose de particulier?

VLADIMIR *(résolu et bafouillant)*. — Traiter un homme *(geste vers Lucky)* de cette façon... je trouve ça... un être humain... non... c'est une honte!

ESTRAGON *(ne voulant pas être en reste)*. — Un scandale!

Il se remet à ronger.

Pozzo. — Vous êtes sévères. *(A Vladimir.)* Quel âge avez-vous, sans indiscrétion? *(Silence.)* Soixante?... Soixante-dix?... *(A Estragon.)* Quel âge peut-il bien avoir?

ESTRAGON. — Demandez-lui.

POZZO. — Je suis indiscret. *(Il vide sa pipe en la tapant contre son fouet, se lève.)* Je vais vous quitter. Merci de m'avoir tenu compagnie. *(Il réfléchit.)* A moins que je ne fume encore une pipe avec vous. Qu'en dites-vous? *(Ils n'en disent rien.)* Oh, je ne suis qu'un petit fumeur, un tout petit fumeur, il n'est pas dans mes habitudes de fumer deux pipes coup sur coup, ça *(il porte sa main au cœur)* fait battre mon cœur. *(Un temps.)* C'est la nicotine, on en absorbe, malgré ses précautions. *(Il soupire.)* Que voulez-vous. *(Silence.)* Mais peut-être que vous n'êtes pas des fumeurs. Si? Non? Enfin, c'est un détail. *(Silence.)* Mais comment me rasseoir maintenant avec naturel, maintenant que je me suis mis debout? Sans avoir l'air de — comment dire — de fléchir? *(A Vladimir.)* Vous dites? *(Silence.)* Peut-être n'avez-vous rien dit? *(Silence.)* C'est sans importance. Voyons...

Il réfléchit.

ESTRAGON. — Ah! Ça va mieux.

Il jette les os.

VLADIMIR. — Partons.

ESTRAGON. — Déjà?

POZZO. — Un instant! *(Il tire sur la corde.)* Pliant! *(Il montre avec son fouet. Lucky déplace le*

pliant.) Encore! Là! *(Il se rassied. Lucky recule,
reprend valise et panier.)* Me voilà réinstallé!

Il commence à bourrer sa pipe.

VLADIMIR. — Partons.

POZZO. — J'espère que ce n'est pas moi qui
vous chasse. Restez encore un peu, vous ne le
regretterez pas.

ESTRAGON *(flairant l'aumône)*. — Nous avons le
temps.

POZZO *(ayant allumé sa pipe)*. — La deuxième
est toujours moins bonne *(il enlève la pipe de sa
bouche, la contemple)* que la première, je veux dire.
(Il remet la pipe dans sa bouche.) Mais elle est
bonne quand même.

VLADIMIR. — Je m'en vais.

POZZO. — Il ne peut plus supporter ma pré-
sence. Je suis sans doute peu humain, mais est-ce
une raison? *(A Vladimir.)* Réfléchissez, avant de
commettre une imprudence. Mettons que vous
partiez maintenant, pendant qu'il fait encore jour,
car malgré tout il fait encore jour. *(Tous les trois
regardent le ciel.)* Bon. Que devient en ce cas — *(il
ôte sa pipe de la bouche, la regarde)* — je suis
éteint — *(il rallume sa pipe)* — en ce cas... en ce
cas... que devient en ce cas votre rendez-vous avec
ce... Godet... Godot... Godin... *(silence)* ...enfin
vous voyez qui je veux dire, dont votre avenir

dépend *(silence)* ...enfin, votre avenir immédiat.

ESTRAGON. — Il a raison.

VLADIMIR. — Comment le saviez-vous?

POZZO. — Voilà qu'il m'adresse à nouveau la parole! Nous finirons par nous prendre en affection.

ESTRAGON. — Pourquoi ne dépose-t-il pas ses bagages?

POZZO. — Moi aussi je serais heureux de le rencontrer. Plus je rencontre de gens, plus je suis heureux. Avec la moindre créature on s'instruit, on s'enrichit, on goûte mieux son bonheur. Vous-mêmes *(il les regarde attentivement l'un après l'autre, afin qu'ils se sachent visés tous les deux)* vous-mêmes, qui sait, vous m'aurez peut-être apporté quelque chose.

ESTRAGON. — Pourquoi ne dépose-t-il pas ses bagages?

POZZO. — Mais ça m'étonnerait.

VLADIMIR. — On vous pose une question.

POZZO *(ravi)*. — Une question? Qui? Laquelle? *(Silence.)* Tout à l'heure vous me disiez Monsieur, en tremblant. Maintenant vous me posez des questions. Ça va mal finir.

VLADIMIR *(à Estragon)*. — Je crois qu'il t'écoute.

ESTRAGON *(qui s'est remis à tourner autour de Lucky)*. — Quoi?

VLADIMIR. — Tu peux lui demander maintenant. Il est alerté.

41

ESTRAGON. — Lui demander quoi?

VLADIMIR. — Pourquoi il ne dépose pas ses bagages.

ESTRAGON. — Je me le demande.

VLADIMIR. — Mais demande-lui, voyons.

POZZO *(qui a suivi ses échanges avec une attention anxieuse, craignant que la question ne se perde)*.
— Vous me demandez pourquoi il ne dépose pas ses bagages, comme vous dites?

VLADIMIR. — Voilà.

POZZO *(à Estragon)*. — Vous êtes bien d'accord?

ESTRAGON *(continuant à tourner autour de Lucky)*
— Il souffle comme un phoque.

POZZO. — Je vais vous répondre. *(A Estragon.)* Mais restez tranquille, je vous en supplie, vous me rendez nerveux.

VLADIMIR. — Viens ici.

ESTRAGON. — Qu'est-ce qu'il y a?

VLADIMIR. — Il va parler.

Immobiles, l'un contre l'autre, ils attendent.

POZZO. — C'est parfait. Tout le monde y est? Tout le monde me regarde? *(Il regarde Lucky, tire sur la corde. Lucky lève la tête.)* Regarde-moi, porc! *(Lucky le regarde.)* Parfait. *(Il met la pipe dans sa poche, sort un petit vaporisateur et se vaporise la gorge, remet le vaporisateur dans sa poche, se râcle la gorge, crache, ressort le vaporisateur, se*

revaporise la gorge, remet le vaporisateur dans sa poche.) Je suis prêt. Tout le monde m'écoute? *(Il regarde Lucky, tire sur la corde.)* Avance! *(Lucky avance.)* Là! *(Lucky s'arrête.)* Tout le monde est prêt? *(Il les regarde tous les trois, Lucky en dernier, tire sur la corde.)* Alors quoi? *(Lucky lève la tête).* Je n'aime pas parler dans le vide. Bon. Voyons.

Il réfléchit.

ESTRAGON. — Je m'en vais.
POZZO. — Qu'est-ce que vous m'avez demandé au juste?
VLADIMIR. — Pourquoi il...
POZZO *(avec colère).* — Ne me coupez pas la parole! *(Un temps. Plus calme.)* Si nous parlons tous en même temps nous n'en sortirons jamais. *(Un temps.)* Qu'est-ce que je disais? *(Un temps. Plus fort.)* Qu'est-ce que je disais?

Vladimir mime celui qui porte une lourde charge. Pozzo le regarde sans comprendre.

ESTRAGON *(avec force).* — Bagages! *(Il pointe son doigt vers Lucky.)* Pourquoi? Toujours tenir. *(Il fait celui qui ploie, en haletant.)* Jamais déposer. *(Il ouvre les mains, se redresse avec soulagement.)* Pourquoi?
POZZO. — J'y suis. Il fallait me le dire plus

43

tôt. Pourquoi il ne se met pas à son aise. Essayons d'y voir clair. N'en a-t-il pas le droit? Si. C'est donc qu'il ne veut pas? Voilà qui est raisonné. Et pourquoi ne veut-il pas? *(Un temps.)* Messieurs, je m'en vais vous le dire.

VLADIMIR. — Attention!

POZZO. — C'est pour m'impressionner, pour que je le garde.

ESTRAGON. — Comment?

POZZO. — Je me suis peut-être mal exprimé. Il cherche à m'apitoyer, pour que je renonce à me séparer de lui. Non, ce n'est pas tout à fait ça.

VLADIMIR. — Vous voulez vous en débarrasser?

POZZO. — Il veut m'avoir, mais il ne m'aura pas.

VLADIMIR. — Vous voulez vous en débarrasser?

POZZO. — Il s'imagine qu'en le voyant bon porteur je serai tenté de l'employer à l'avenir dans cette capacité.

ESTRAGON. — Vous n'en voulez plus?

POZZO. — En réalité il porte comme un porc. Ce n'est pas son métier.

VLADIMIR. — Vous voulez vous en débarrasser?

POZZO. — Il se figure qu'en le voyant infatigable je vais regretter ma décision. Tel est son misérable calcul. Comme si j'étais à court d'hommes de peine! *(Tous les trois regardent Lucky.)* Atlas, fils de Jupiter! *(Silence.)* Et voilà. Je pense avoir

répondu à votre question. En avez-vous d'autres?
(Jeu du vaporisateur.)

VLADIMIR. — Vous voulez vous en débarrasser?

POZZO. — Remarquez que j'aurais pu être à sa place et lui à la mienne. Si le hasard ne s'y était pas opposé. A chacun son dû.

VLADIMIR. — Vous voulez vous en débarrasser?

POZZO. — Vous dites?

VLADIMIR. — Vous voulez vous en débarrasser?

POZZO. — En effet. Mais au lieu de le chasser, comme j'aurais pu, je veux dire au lieu de le mettre tout simplement à la porte, à coups de pied dans le cul, je l'emmène, telle est ma bonté, au marché de Saint-Sauveur, où je compte bien en tirer quelque chose. A vrai dire, chasser de tels êtres, ce n'est pas possible. Pour bien faire, il faudrait les tuer.

Lucky pleure.

ESTRAGON. — Il pleure.

POZZO. — Les vieux chiens ont plus de dignité. *(Il tend son mouchoir à Estragon.)* Consolez-le, puisque vous le plaignez. *(Estragon hésite.)* Prenez. *(Estragon prend le mouchoir.)* Essuyez-lui les yeux. Comme ça il se sentira moins abandonné.

Estragon hésite toujours.

VLADIMIR. — Donne, je le ferai, moi.

Estragon ne veut pas donner le mouchoir. Gestes d'enfant.

Pozzo. — Dépêchez-vous. Bientôt il ne pleurera plus. *(Estragon s'approche de Lucky et se met en posture de lui essuyer les yeux. Lucky lui décoche un violent coup de pied dans les tibias. Estragon lâche le mouchoir, se jette en arrière, fait le tour du plateau en boitant et en hurlant de douleur.)* Mouchoir.

Lucky dépose valise et panier, ramasse le mouchoir, avance, le donne à Pozzo, recule, reprend valise et panier.

Estragon. — Le salaud! La vache! *(Il relève son pantalon.)* Il m'a estropié!

Pozzo. — Je vous avais dit qu'il n'aime pas les étrangers.

Vladimir *(à Estragon)*. — Fais voir. *(Estragon lui montre sa jambe. A Pozzo, avec colère.)* Il saigne!

Pozzo. — C'est bon signe.

Estragon *(la jambe blessée en l'air)*. — Je ne pourrai plus marcher!

Vladimir *(tendrement)*. — Je te porterai. *(Un temps.)* Le cas échéant.

Pozzo. — Il ne pleure plus. *(A Estragon.)* Vous l'avez remplacé, en quelque sorte. *(Rêveusement.)* Les larmes du monde sont immuables. Pour chacun qui se met à pleurer, quelque part un autre s'arrête. Il en va de même du rire. *(Il rit.)* Ne disons

donc pas de mal de notre époque, elle n'est pas plus malheureuse que les précédentes. *(Silence.)* N'en disons pas de bien non plus. *(Silence.)* N'en parlons pas. *(Silence.)* Il est vrai que la population a augmenté.

VLADIMIR. — Essaie de marcher.

Estragon part en boitillant, s'arrête devant Lucky et crache sur lui, puis va s'asseoir là où il était assis au lever du rideau.

POZZO. — Savez-vous qui m'a appris toutes ces belles choses? *(Un temps. Dardant son doigt vers Lucky.)* Lui! Lucky!

VLADIMIR *(regardant le ciel).* — La nuit ne viendra-t-elle donc jamais?

POZZO. — Sans lui je n'aurais jamais pensé, jamais senti, que des choses basses, ayant trait à mon métier de — peu importe. La beauté, la grâce, la vérité de première classe, je m'en savais incapable. Alors j'ai pris un knouk.

VLADIMIR *(malgré lui, cessant d'interroger le ciel).* — Un knouk?

POZZO. — Il y aura bientôt soixante ans que ça dure... *(il calcule mentalement)* ...oui, bientôt soixante. *(Se redressant fièrement.)* On ne me les donnerait pas, n'est-ce pas? *(Vladimir regarde Lucky).* A côté de lui j'ai l'air d'un jeune homme, non? *(Un temps. A Lucky.)* Chapeau! *(Lucky*

dépose le panier, enlève son chapeau. Une abondante chevelure blanche lui tombe autour du visage. Il met son chapeau sous le bras et reprend le panier.) Maintenant, regardez. *(Pozzo ôte son chapeau* [1]*. Il est complètement chauve. Il remet son chapeau.)* Vous avez vu?

VLADIMIR. — Qu'est-ce que c'est, un knouk?

POZZO. — Vous n'êtes pas d'ici. Êtes-vous seulement du siècle? Autrefois on avait des bouffons. Maintenant on a des knouks. Ceux qui peuvent se le permettre.

VLADIMIR. — Et vous le chassez à présent? Un si vieux, un si fidèle serviteur?

ESTRAGON. — Fumier!

Pozzo de plus en plus agité.

VLADIMIR. — Après en avoir sucé la substance vous le jetez comme un... *(il cherche)* ...comme une peau de banane. Avouez que...

POZZO *(gémissant, portant ses mains à sa tête)*. — Je n'en peux plus... plus supporter... ce qu'il fait... pouvez pas savoir... c'est affreux... faut qu'il s'en aille... *(il brandit les bras)* ...je deviens fou... *(il s'effondre, la tête dans les bras.)* ...je n'en peux plus... peux plus...

Silence. Tous regardent Pozzo. Lucky tressaille.

1. Tous ces personnages portent le chapeau melon.

VLADIMIR. — Il n'en peut plus.

ESTRAGON. — C'est affreux.

VLADIMIR. — Il devient fou.

ESTRAGON. — C'est dégoûtant.

VLADIMIR *(à Lucky)*. — Comment osez-vous? C'est honteux! Un si bon maître! Le faire souffrir ainsi! Après tant d'années! Vraiment!

POZZO *(sanglotant)*. — Autrefois... il était gentil... il m'aidait... me distrayait... il me rendait meilleur... maintenant... il m'assassine...

ESTRAGON *(à Vladimir)*. — Est-ce qu'il veut le remplacer?

VLADIMIR. — Comment?

ESTRAGON. — Je n'ai pas compris s'il veut le remplacer ou s'il n'en veut plus après lui.

VLADIMIR. — Je ne crois pas.

ESTRAGON. — Comment?

VLADIMIR. — Je ne sais pas.

ESTRAGON. — Faut lui demander.

POZZO *(calmé)*. — Messieurs, je ne sais pas ce qui m'est arrivé. Je vous demande pardon. Oubliez tout ça. *(De plus en plus maître de lui.)* Je ne sais plus très bien ce que j'ai dit, mais vous pouvez être sûrs qu'il n'y avait pas un mot de vrai là-dedans. *(Se redresse, se frappe la poitrine.)* Est-ce que j'ai l'air d'un homme qu'on fait souffrir, moi? Voyons! *(Il fouille dans ses poches.)* Qu'est-ce que j'ai fait de ma pipe?

4

VLADIMIR. — Charmante soirée.
ESTRAGON. — Inoubliable.
VLADIMIR. — Et ce n'est pas fini.
ESTRAGON. — On dirait que non.
VLADIMIR. — Ça ne fait que commencer.
ESTRAGON. — C'est terrible.
VLADIMIR. — On se croirait au spectacle.
ESTRAGON. — Au cirque.
VLADIMIR. — Au music-hall.
ESTRAGON. — Au cirque.
POZZO. — Mais qu'ai-je donc fait de ma bruyère!
ESTRAGON. — Il est marrant! Il a perdu sa bouffarde! *(Rit bruyamment.)*
VLADIMIR. — Je reviens.

Il se dirige vers la coulisse.

ESTRAGON. — Au fond du couloir, à gauche.
VLADIMIR. — Garde ma place.

Il sort.

POZZO. — J'ai perdu mon Abdullah!
ESTRAGON *(se tordant)*. — Il est tordant!
POZZO *(levant la tête)*. — Vous n'auriez pas vu — *(Il s'aperçoit de l'absence de Vladimir. Désolé.)* Oh! Il est parti!... Sans me dire au revoir! Ce n'est pas chic! Vous auriez dû le retenir.
ESTRAGON. — Il s'est retenu tout seul.
POZZO. — Oh! *(Un temps.)* A la bonne heure.

ESTRAGON *(se levant)*. — Venez par ici.

POZZO. — Pour quoi faire?

ESTRAGON. — Vous allez voir.

POZZO. — Vous voulez que je me lève?

ESTRAGON. — Venez... venez... vite.

> *Pozzo se lève et va vers Estragon.*

ESTRAGON. — Regardez!

POZZO. — Oh là là!

ESTRAGON. — C'est fini.

Vladimir revient, sombre, bouscule Lucky, renverse le pliant d'un coup de pied, va et vient avec agitation.

POZZO. — Il n'est pas content?

ESTRAGON. — Tu as raté des choses formidables. Dommage.

Vladimir s'arrête, redresse le pliant, reprend son va-et-vient, plus calme.

POZZO. — Il s'apaise. *(Regard circulaire.)* D'ailleurs, tout s'apaise, je le sens. Une grande paix descend. Écoutez. *(Il lève la main.)* Pan dort.

VLADIMIR *(s'arrêtant)*. — La nuit ne viendra-t-elle jamais?

> *Tous les trois regardent le ciel.*

POZZO. — Vous ne tenez pas à partir avant?

ESTRAGON. — C'est-à-dire... Vous comprenez...

Pozzo. — Mais c'est tout naturel, c'est tout naturel. Moi-même, à votre place, si j'avais rendez-vous avec un Godin... Godet... Godot... enfin vous voyez qui je veux dire, j'attendrais qu'il fasse nuit noire avant d'abandonner. *(Il regarde le pliant.)* J'aimerais bien me rasseoir, mais je ne sais pas trop comment m'y prendre.

Estragon. — Puis-je vous aider?

Pozzo. — Si vous me demandiez, peut-être?

Estragon — Quoi?

Pozzo. — Si vous me demandiez de me rasseoir.

Estragon. — Ça vous aiderait?

Pozzo. — Il me semble.

Estragon. — Allons-y. Rasseyez-vous, monsieur, je vous en prie.

Pozzo. — Non non, ce n'est pas la peine. *(Un temps. A voix basse.)* Insistez un peu

Estragon. — Mais voyons, ne restez pas debout comme ça, vous allez attraper froid.

Pozzo. — Vous croyez?

Estragon. — Mais c'est absolument certain.

Pozzo. — Vous avez sans doute raison. *(Il se rassied.)* Merci, mon cher. Me voilà réinstallé. *(Estragon se rassied. Pozzo regarde sa montre.)* Mais il est temps que je vous quitte, si je ne veux pas me mettre en retard.

Vladimir. — Le temps s'est arrêté.

Pozzo *(mettant sa montre contre son oreille).*

— Ne croyez pas ça, monsieur, ne croyez pas ça. *(Il remet la montre dans sa poche.)* Tout ce que vous voulez, mais pas ça.

ESTRAGON *(à Pozzo)*. — Il voit tout en noir aujourd'hui.

POZZO. — Sauf le firmament. *(Il rit, content de ce bon mot.)* Patience, ça va venir. Mais je vois ce que c'est, vous n'êtes pas d'ici, vous ne savez pas encore ce que c'est que le crépuscule chez nous. Voulez-vous que je vous le dise? *(Silence. Estragon et Vladimir se sont remis à examiner, celui-là sa chaussure, celui-ci son chapeau. Le chapeau de Lucky tombe, sans qu'il s'en aperçoive.)* Je veux bien vous satisfaire. *(Jeu du vaporisateur.)* Un peu d'attention, s'il vous plaît. *(Estragon et Vladimir continuent leur manège, Lucky dort à moitié. Pozzo fait claquer son fouet, qui ne rend qu'un bruit très faible.)* Qu'est-ce qu'il a, ce fouet? *(Il se lève et le fait claquer plus vigoureusement, finalement avec succès. Lucky sursaute. La chaussure d'Estragon, le chapeau de Vladimir, leur tombent des mains. Pozzo jette le fouet.)* Il ne vaut plus rien, ce fouet. *(Il regarde son auditoire.)* Qu'est-ce que je disais?

VLADIMIR. — Partons.

ESTRAGON. — Mais ne restez pas debout comme ça, vous allez attraper la crève.

POZZO. — C'est vrai. *(Il se rassied. A Estragon.)* Comment vous appelez-vous?

ESTRAGON *(du tic au tac)*. — Catulle.

POZZO *(qui n'a pas écouté)*. — Ah oui, la nuit. *(Lève la tête.)* Mais soyez donc un peu plus attentifs, sinon nous n'arriverons jamais à rien. *(Regarde le ciel.)* Regardez. *(Tous regardent le ciel, sauf Lucky qui s'est remis à somnoler. Pozzo, s'en apercevant, tire sur la corde.)* Veux-tu regarder le ciel, porc! *(Lucky renverse la tête.)* Bon, ça suffit. *(Ils baissent la tête.)* Qu'est-ce qu'il a de si extraordinaire? En tant que ciel? Il est pâle et lumineux, comme n'importe quel ciel à cette heure de la journée. *(Un temps.)* Dans ces latitudes. *(Un temps.)* Quand il fait beau. *(Sa voix se fait chantante.)* Il y a une heure *(il regarde sa montre, ton prosaïque)* environ *(ton à nouveau lyrique)* après nous avoir versé depuis *(il hésite, le ton baisse)* mettons dix heures du matin *(le ton s'élève)* sans faiblir des torrents de lumière rouge et blanche, il s'est mis à perdre de son éclat, à pâlir *(geste des deux mains qui descendent par paliers)*, à pâlir, toujours un peu plus, un peu plus, jusqu'à ce que *(pause dramatique, large geste horizontal des deux mains qui s'écartent)* vlan! fini! il ne bouge plus! *(Silence.)* Mais *(il lève une main admonitrice)* — mais, derrière ce voile de douceur et de calme *(il lève les yeux au ciel, les autres l'imitent, sauf Lucky)* la nuit galope *(la voix se fait plus vibrante)* et viendra se jeter sur nous *(il fait claquer ses doigts)*

54

pfft! comme ça — *(l'inspiration le quitte)* au moment où nous nous y attendrons le moins. *(Silence. Voix morne.)* C'est comme ça que ça se passe sur cette putain de terre.

Long silence.

ESTRAGON. — Du moment qu'on est prévenus.

VLADIMIR. — On peut patienter.

ESTRAGON. — On sait à quoi s'en tenir.

VLADIMIR. — Plus d'inquiétude à avoir.

ESTRAGON. — Il n'y a qu'à attendre.

VLADIMIR. — Nous en avons l'habitude. *(Il ramasse son chapeau, regarde dedans, le secoue, le remet.)*

POZZO. — Comment m'avez-vous trouvé ? *(Estragon et Vladimir le regardent sans comprendre.)* Bon? Moyen? Passable? Quelconque? Franchement mauvais?

VLADIMIR *(comprenant le premier)*. — Oh, très bien, tout à fait bien.

POZZO *(à Estragon)*. — Et vous, monsieur?

ESTRAGON *(accent anglais)*. — Oh très bon, très très très bon.

POZZO *(avec élan)*. — Merci, messieurs! *(Un temps)*. J'ai tant besoin d'encouragement. *(Il réfléchit.)* J'ai un peu faibli sur la fin. Vous n'avez pas remarqué?

VLADIMIR. — Oh, peut-être un tout petit peu.

ESTRAGON. — J'ai cru que c'était exprès.

POZZO. — C'est que ma mémoire est défectueuse.

Silence.

ESTRAGON. — En attendant, il ne se passe rien.

POZZO *(désolé)*. — Vous vous ennuyez?

ESTRAGON. — Plutôt.

POZZO *(à Vladimir)*. — Et vous, monsieur?

VLADIMIR. — Ce n'est pas folichon.

Silence. Pozzo se livre une bataille intérieure.

POZZO. — Messieurs, vous avez été... *(il cherche)* ...convenables avec moi.

ESTRAGON. — Mais non!

VLADIMIR. — Quelle idée!

POZZO. — Mais si, mais si, vous avez été corrects. De sorte que je me demande... Que puis-je faire à mon tour pour ces braves gens qui sont en train de s'ennuyer?

ESTRAGON. — Même un louis serait le bienvenu.

VLADIMIR *(outré)*. — Nous ne sommes pas des mendiants.

POZZO. — Que puis-je faire, voilà ce que je me dis, pour que le temps leur semble moins long? Je leur ai donné des os, je leur ai parlé de choses et d'autres, je leur ai expliqué le crépuscule, c'est une affaire entendue. Et j'en passe. Mais est-ce suffisant, voilà ce qui me torture, est-ce suffisant?

ESTRAGON. — Même cent sous.

VLADIMIR. — Tais-toi!

ESTRAGON. — J'en prends le chemin.

POZZO. — Est-ce suffisant? Sans doute. Mais je suis large. C'est ma nature. Aujourd'hui. Tant pis pour moi. *(Il tire sur la corde. Lucky le regarde.)* Car je vais souffrir, cela est certain. *(Sans se lever, il se penche et reprend son fouet.)* Que préférez-vous? Qu'il danse, qu'il chante, qu'il récite, qu'il pense, qu'il...

ESTRAGON. — Qui?

POZZO. — Qui! Vous savez penser, vous autres?

VLADIMIR. — Il pense?

POZZO. — Parfaitement. A haute voix. Il pensait même très joliment autrefois, je pouvais l'écouter pendant des heures. Maintenant... *(Il frissonne.)* Enfin, tant pis. Alors, vous voulez qu'il nous pense quelque chose?

ESTRAGON. — J'aimerais mieux qu'il danse, ce serait plus gai.

POZZO. — Pas forcément.

ESTRAGON. — N'est-ce pas, Didi, que ce serait plus gai?

VLADIMIR. — J'aimerais bien l'entendre penser.

ESTRAGON. — Il pourrait peut-être danser d'abord et penser ensuite? Si ce n'est pas trop lui demander.

VLADIMIR *(à Pozzo)*. — Est-ce possible?

POZZO. — Mais certainement, rien de plus facile. C'est d'ailleurs l'ordre naturel. *(Rire bref.)*

VLADIMIR. — Alors, qu'il danse.

Silence.

POZZO *(à Lucky)*. — Tu entends?

ESTRAGON. — Il ne refuse jamais?

POZZO. — Je vous expliquerai ça tout à l'heure. *(A Lucky.)* Danse, pouacre!

Lucky dépose valise et panier, avance un peu vers la rampe, se tourne vers Pozzo. Estragon se lève pour mieux voir. Lucky danse. Il s'arrête.

ESTRAGON. — C'est tout?

POZZO. — Encore!

Lucky répète les mêmes mouvements, s'arrête.

ESTRAGON. — Eh ben, mon cochon! *(Il imite les mouvements de Lucky.)* J'en ferais autant. *(Il imite, manque de tomber, se rassied.)* Avec un peu d'entraînement.

VLADIMIR. — Il est fatigué.

POZZO. — Autrefois, il dansait la farandole, l'almée, le branle, la gigue, le fandango et même le hornpipe. Il bondissait. Maintenant il ne fait plus que ça. Savez-vous comment il l'appelle?

ESTRAGON. — La mort du lampiste.

VLADIMIR. — Le cancer des vieillards.

POZZO. — La danse du filet. Il se croit empêtré dans un filet.

VLADIMIR *(avec des tortillements d'esthète)*. — Il y a quelque chose...

Lucky s'apprête à retourner vers ses fardeaux.

POZZO *(comme à un cheval)*. — Wooa!

Lucky s'immobilise.

ESTRAGON. — Il ne refuse jamais?

POZZO. — Je vais vous expliquer ça. *(Il fouille dans ses poches.)* Attendez. *(Il fouille.)* Qu'est-ce que j'ai fait de ma poire? *(Il fouille.)* Ça alors! *(Il lève une tête ahurie. D'une voix mourante.)* J'ai perdu mon pulvérisateur!

ESTRAGON *(d'une voix mourante)*. — Mon poumon gauche est très faible. *(Il tousse faiblement. D'une voix tonitruante.)* Mais mon poumon droit est en parfait état!

POZZO *(voix normale)*. — Tant pis, je m'en passerai. Qu'est-ce que je disais? *(Il réfléchit.)* Attendez! *(Réfléchit.)* Ça alors! *(Il lève la tête.)* Aidez-moi!

ESTRAGON. — Je cherche.

VLADIMIR. — Moi aussi.

POZZO. — Attendez!

Tous les trois se découvrent simultanément, portent la main au front, se concentrent, crispés. Long silence.

ESTRAGON *(triomphant)*. — Ah!

VLADIMIR. — Il a trouvé.

POZZO *(impatient)*. — Et alors?

ESTRAGON. — Pourquoi ne dépose-t-il pas ses bagages?

VLADIMIR. — Mais non!

POZZO. — Vous êtes sûr?

VLADIMIR. — Mais voyons, vous nous l'avez déjà dit.

POZZO. — Je vous l'ai déjà dit?

ESTRAGON. — Il nous l'a déjà dit?

VLADIMIR. — D'ailleurs, il les a déposés.

ESTRAGON *(coup d'œil vers Lucky)*. — C'est vrai. Et après?

VLADIMIR. — Puisqu'il a déposé ses bagages, il est impossible que nous ayons demandé pourquoi il ne les dépose pas.

POZZO. — Fortement raisonné!

ESTRAGON. — Et pourquoi les a-t-il déposés?

POZZO. — Voilà.

VLADIMIR. — Afin de danser.

ESTRAGON. — C'est vrai.

POZZO. — C'est vrai.

Long silence.

ESTRAGON *(se levant)*. — Rien ne se passe, personne ne vient, personne ne s'en va, c'est terrible.

VLADIMIR *(à Pozzo)*. — Dites-lui de penser.

POZZO. — Donnez-lui son chapeau.

VLADIMIR. — Son chapeau?

POZZO. — Il ne peut pas penser sans chapeau.

VLADIMIR *(à Estragon)*. — Donne-lui son chapeau.

ESTRAGON. — Moi? Après le coup qu'il m'a fait? Jamais!

VLADIMIR. — Je vais le lui donner, moi.

Il ne bouge pas.

ESTRAGON. — Qu'il aille le chercher.

POZZO. — Il vaut mieux le lui donner.

VLADIMIR. — Je vais le lui donner.

Il ramasse le chapeau et le tend à Lucky à bout de bras. Lucky ne bouge pas.

POZZO. — Il faut le lui mettre.

ESTRAGON *(à Pozzo)*. — Dites-lui de le prendre.

POZZO. — Il vaut mieux le lui mettre.

VLADIMIR. — Je vais le lui mettre.

Il contourne Lucky avec précaution, s'en approche doucement par-derrière, lui met le chapeau sur la tête et recule vivement. Lucky ne bouge pas. Silence.

ESTRAGON. — Qu'est-ce qu'il attend?

POZZO. — Éloignez-vous. *(Estragon et Vladimir s'éloignent de Lucky. Pozzo tire sur la corde. Lucky le regarde.)* Pense, porc! *(Un temps. Lucky se met*

à danser.) Arrête! *(Lucky s'arrête.)* Avance! *(Lucky va vers Pozzo.)* Là! *(Lucky s'arrête.)* Pense!

Un temps.

LUCKY. — D'autre part, pour ce qui est...
POZZO. — Arrête! *(Lucky se tait.)* Arrière!
(Lucky recule.) Là! *(Lucky s'arrête.)* Hue! *(Lucky se tourne vers le public.)* Pense!
LUCKY *(débit monotone).* — Étant donné l'existence telle qu'elle jaillit des récents travaux publics de Poinçon et Wattmann d'un Dieu personnel quaquaquaqua à barbe blanche quaqua hors du temps de l'étendue qui du haut de sa divine apathie sa divine athambie sa divine aphasie nous aime bien à quelques exceptions près on ne sait pourquoi mais ça viendra et souffre à l'instar de la divine Miranda avec ceux qui sont on ne sait pourquoi mais on a le temps dans le tourment dans les feux dont les feux les flammes pour peu que ça dure encore un peu et qui peut en douter mettront à la fin le feu aux poutres assavoir porteront l'enfer aux nues si bleues par moments encore aujourd'hui et calmes si calmes d'un calme qui pour être intermittent n'en est pas moins le bienvenu mais n'anticipons pas et attendu d'autre part qu'à la suite des recherches inachevées n'anticipons pas des recherches inachevées mais néan-

Attention soutenue d'Estragon et Vladimir. Accablement et dégoût de Pozzo.

moins couronnées par l'Acacacacadémie d'Anthro-
popopométrie de Berne-en-Bresse de Testu et
Conard il est établi sans autre possibilité d'erreur
que celle afférente aux calculs humains qu'à la suite
des recherches inachevées inachevées de Testu et
Conard il est établi tabli tabli ce qui suit qui suit
qui suit assavoir mais n'anticipons pas on ne sait
pourquoi à la suite des travaux de Poinçon et
Wattmann il apparaît aussi clairement si clairement qu'en vue des labeurs de Fartov et Bel-
cher inachevés inachevés on ne sait pourquoi de
Testu et Conard inachevés inachevés il apparaît
que l'homme contrairement à l'opinion contraire
que l'homme en Bresse de Testu et Conard que
l'homme. enfin bref que l'homme en bref enfin
malgré les progrès de l'alimentation et de l'élimi-
nation des déchets est en train de maigrir et en
même temps parallèlement on ne sait pourquoi
malgré l'essor de la culture physique de la pra-
tique des sports tels tels tels le tennis le football
la course et à pied et à bicyclette la natation l'équi-
tation l'aviation la conation le tennis le camogie le
patinage et sur glace et sur asphalte le tennis l'aviation les sports les sports d'hiver d'été d'automne
d'automne le tennis sur gazon sur sapin et sur
terre battue l'aviation le tennis le hockey sur terre
sur mer et dans les airs la pénicilline et succéda-
nés bref je reprends en même temps parallèlement

de rapetisser on ne sait pourquoi malgré le tennis je reprends l'aviation le golf tant à neuf qu'à dix-huit trous le tennis sur glace bref on ne sait pourquoi en Seine Seine-et-Oise Seine-et-Marne Marne-et-Oise assavoir en même temps parallèlement on ne sait pourquoi de maigrir rétrécir je reprends Oise Marne bref la perte sèche par tête de pipe depuis la mort de Voltaire étant de l'ordre de deux doigts cent grammes par tête de pipe environ en moyenne à peu près chiffres ronds bon poids déshabillé en Normandie on ne sait pourquoi bref enfin

Exclamations de Vladimir et Estragon, Pozzo se lève d'un bond, tire sur la corde. Tous crient. Lucky tire sur la corde, trébuche, hurle. Tous se jettent sur Lucky qui se débat, hurle son texte.

peu importe les faits sont là et considérant d'autre part ce qui est encore plus grave qu'il ressort ce qui est encore plus grave qu'à la lumière la lumière des expériences en cours de Steinweg et Petermann il ressort ce qui est encore plus grave qu'il ressort ce qui est encore plus grave à la lumière la lumière des expériences abandonnées de Steinweg et Petermann qu'à la campagne à la montagne et au bord de la mer et des cours et d'eau et de feu l'air est le même et la terre assavoir l'air et la terre par les grands froids l'air et la terre faits pour les pierres par les grands froids hélas au septième de leur ère l'éther la terre la mer pour les pierres par les grands fonds les grands froids sur mer sur terre et dans les airs peuchère je reprends on ne sait pourquoi malgré le tennis les faits sont là on ne sait pourquoi je reprends au suivant bref enfin

hélas au suivant pour les pierres qui peut en douter je reprends mais n'anticipons pas je reprends la tête en même temps parallèlement on ne sait pourquoi malgré le tennis au suivant la barbe les flammes les pleurs les pierres si bleues si calmes hélas la tête la tête la tête la tête en Normandie malgré le tennis les labeurs abandonnés inachevés plus grave les pierres bref je reprends hélas hélas abandonnés inachevés la tête la tête en Normandie malgré le tennis la tête hélas les pierres Conard Conard... *(Mêlée. Lucky pousse encore quelques vociférations.)* Tennis!... Les pierres!... Si calmes!... Conard!... Inachevés!...

Pozzo. — Son chapeau!

Vladimir s'empare du chapeau de Lucky qui se tait et tombe. Grand silence. Halètement des vainqueurs.

Estragon. — Je suis vengé.

Vladimir contemple le chapeau de Lucky, regarde dedans.

Pozzo. — Donnez-moi ça! *(Il arrache le chapeau des mains de Vladimir, le jette par terre, saute dessus.)* Comme ça il ne pensera plus!

Vladimir. — Mais va-t-il pouvoir s'orienter?

Pozzo. — C'est moi qui l'orienterai. *(Il donne des coups de pied à Lucky.)* Debout! Porc!

ESTRAGON. — Il est peut-être mort.

VLADIMIR. — Vous allez le tuer.

POZZO. — Debout! Charogne! *(Il tire sur la corde, Lucky glisse un peu. A Estragon et Vladimir.)* Aidez-moi.

VLADIMIR. — Mais comment faire?

POZZO. — Soulevez-le!

Estragon et Vladimir mettent Lucky debout, le soutiennent un moment, puis le lâchent. Il retombe.

ESTRAGON. — Il fait exprès.

POZZO. — Il faut le soutenir. *(Un temps.)* Allez, allez, soulevez-le!

ESTRAGON. — Moi j'en ai marre.

VLADIMIR. — Allons, essayons encore une fois.

ESTRAGON. — Pour qui nous prend-il?

VLADIMIR. — Allons.

Ils mettent Lucky debout, le soutiennent.

POZZO. — Ne le lâchez pas! *(Estragon et Vladimir chancellent.)* Ne bougez pas! *(Pozzo va prendre la valise et le panier et les apporte vers Lucky.)* Tenez-le bien! *(Il met la valise dans la main de Lucky, qui la lâche aussitôt.)* Ne le lâchez pas! *(Il recommence. Peu à peu, au contact de la valise, Lucky reprend ses esprits et ses doigts finissent par se resserrer autour de la poignée.)* Tenez-le toujours! *(Même jeu avec le panier.)* Voilà, vous pouvez le lâcher. *(Estragon et Vladimir s'écartent de Lucky*

*qui trébuche, chancelle, ploie, mais reste debout, valise
et panier à la main. Pozzo recule, fait claquer son
fouet.)* En avant! *(Lucky avance.)* Arrière! *(Lucky
recule.)* Tourne! *(Lucky se retourne.)* Ça y est, il
peut marcher. *(Se tournant vers Estragon et Vladimir.)* Merci, messieurs, et laissez-moi vous — *(il
fouille dans ses poches)* — vous souhaiter — *(il
fouille)* — vous souhaiter — *(il fouille)* — mais
où ai-je donc mis ma montre? *(Il fouille.)* Ça alors!
(Il lève une tête défaite.) Une véritable savonnette,
messieurs, à secondes trotteuses. C'est mon pépé
qui me l'a donnée. *(Il fouille.)* Elle est peut-être
tombée. *(Il cherche par terre, ainsi que Vladimir et
Estragon. Pozzo retourne de son pied les restes du
chapeau de Lucky.)* Ça, par exemple!

VLADIMIR. — Elle est peut-être dans votre gousset.

POZZO. — Attendez. *(Il se plie en deux, approche
sa tête de son ventre, écoute.)* Je n'entends rien! *(Il
leur fait signe de s'approcher.)* Venez voir. *(Estragon et Vladimir vont vers lui, se penchent sur son
ventre. Silence.)* Il me semble qu'on devrait entendre le tic-tac.

VLADIMIR. — Silence!

Tous écoutent, penchés.

ESTRAGON. — J'entends quelque chose.

POZZO. — Où?

VLADIMIR. — C'est le cœur.

POZZO *(déçu)*. — Merde alors!

VLADIMIR. — Silence!

Ils écoutent.

ESTRAGON. — Peut-être qu'elle s'est arrêtée.

Ils se redressent.

POZZO. — Lequel de vous sent si mauvais?

ESTRAGON. — Lui pue de la bouche, moi des pieds.

POZZO. — Je vais vous quitter.

ESTRAGON. — Et votre savonnette?

POZZO. — J'ai dû la laisser au château.

ESTRAGON. — Alors, adieu.

POZZO. — Adieu.

VLADIMIR. — Adieu.

ESTRAGON. — Adieu.

Silence. Personne ne bouge.

VLADIMIR. — Adieu.

POZZO. — Adieu.

ESTRAGON. — Adieu.

Silence.

POZZO. — Et merci.

VLADIMIR. — Merci à vous.

POZZO. — De rien.

ESTRAGON. — Mais si.

POZZO. — Mais non.

VLADIMIR. — Mais si.

ESTRAGON. — Mais non.

Silence.

Pozzo. — Je n'arrive pas... *(il hésite)* ...à partir.

Estragon. — C'est la vie.

Pozzo se retourne, s'éloigne de Lucky, vers la coulisse, filant la corde au fur et à mesure.

Vladimir. — Vous allez dans le mauvais sens.

Pozzo. — Il me faut de l'élan. *(Arrivé au bout de la corde, c'est-à-dire dans la coulisse, il s'arrête, se retourne, crie.)* Écartez-vous! *(Estragon et Vladimir se rangent au fond, regardent vers Pozzo. Bruit de fouet.)* En avant!

Lucky ne bouge pas.

Estragon. — En avant!

Vladimir. — En avant!

Bruit de fouet. Lucky s'ébranle.

Pozzo. — Plus vite! *(Il sort de la coulisse, traverse la scène à la suite de Lucky. Estragon et Vladimir se découvrent, agitent la main. Lucky sort. Pozzo fait claquer corde et fouet.)* Plus vite! Plus vite! *(Au moment de disparaître à son tour, Pozzo s'arrête, se retourne. La corde se tend. Bruit de Lucky qui tombe.)* Mon pliant! *(Vladimir va chercher le pliant et le donne à Pozzo qui le jette vers Lucky.)* Adieu!

ESTRAGON, VLADIMIR *(agitant la main).* — Adieu! Adieu!

POZZO. — Debout! Porc! *(Bruit de Lucky qui se lève.)* En avant! *(Pozzo sort. Bruit de fouet.)* En avant! Adieu! Plus vite! Porc! Hue! Adieu!

Silence.

VLADIMIR. — Ça a fait passer le temps.
ESTRAGON. — Il serait passé sans ça.
VLADIMIR. — Oui. Mais moins vite.

Un temps.

ESTRAGON. — Qu'est-ce qu'on fait maintenant?
VLADIMIR. — Je ne sais pas.
ESTRAGON. — Allons-nous-en.
VLADIMIR. — On ne peut pas.
ESTRAGON. — Pourquoi?
VLADIMIR. — On attend Godot.
ESTRAGON. — C'est vrai.

Un temps.

VLADIMIR. — Ils ont beaucoup changé.
ESTRAGON. — Qui?
VLADIMIR. — Ces deux-là.
ESTRAGON. — C'est ça, faisons un peu de conversation.
VLADIMIR. — N'est-ce pas qu'ils ont beaucoup changé?

ESTRAGON. — C'est probable. Il n'y a que nous qui n'y arrivons pas.

VLADIMIR. — Probable? C'est certain. Tu les as bien vus?

ESTRAGON. — Si tu veux. Mais je ne les connais pas.

VLADIMIR. — Mais si, tu les connais.

ESTRAGON. — Mais non.

VLADIMIR. — Nous les connaissons, je te dis. Tu oublies tout. *(Un temps.)* A moins que ce ne soient pas les mêmes.

ESTRAGON. — La preuve, ils ne nous ont pas reconnus.

VLADIMIR. — Ça ne veut rien dire. Moi aussi j'ai fait semblant de ne pas les reconnaître. Et puis, nous, on ne nous reconnaît jamais.

ESTRAGON. — Assez. Ce qu'il faut — Aïe! *(Vladimir ne bronche pas.)* Aïe!

VLADIMIR. — A moins que ce ne soient pas les mêmes.

ESTRAGON. — Didi! C'est l'autre pied!

Il se dirige en boitillant vers l'endroit où il était assis au lever du rideau.

VOIX EN COULISSE. — Monsieur!

Estragon s'arrête. Tous les deux regardent en direction de la voix.

71

ESTRAGON. — Ça recommence.
VLADIMIR. — Approche, mon enfant.

Entre un jeune garçon, craintivement. Il s'arrête.

GARÇON. — Monsieur Albert?
VLADIMIR. — C'est moi.
ESTRAGON. — Qu'est-ce que tu veux?
VLADIMIR. — Avance.

Le garçon ne bouge pas.

ESTRAGON *(avec force)*. — Avance, on te dit!

Le garçon avance craintivement, s'arrête.

VLADIMIR. — Qu'est-ce que c'est?
GARÇON. — C'est monsieur Godot — *(Il se tait.)*
VLADIMIR. — Évidemment. *(Un temps.)* Approche.

Le garçon ne bouge pas.

ESTRAGON *(avec force)*. — Approche, on te dit!
(Le garçon avance craintivement, s'arrête.) Pourquoi tu viens si tard?
VLADIMIR. — Tu as un message de monsieur Godot?
GARÇON. — Oui, monsieur.
VLADIMIR. — Eh bien, dis-le.
ESTRAGON. — Pourquoi tu viens si tard?

Le garçon les regarde l'un après l'autre, ne sachant à qui répondre.

VLADIMIR *(à Estragon)*. — Laisse-le tranquille.

ESTRAGON *(à Vladimir)*. — Fous-moi la paix, toi. *(Avançant, au garçon.)* Tu sais l'heure qu'il est?

GARÇON *(reculant)*. — Ce n'est pas ma faute, monsieur!

ESTRAGON. — C'est la mienne peut-être?

GARÇON. — J'avais peur, monsieur.

ESTRAGON. — Peur de quoi? De nous? *(Un temps.)* Réponds!

VLADIMIR. — Je vois ce que c'est, ce sont les autres qui lui ont fait peur.

ESTRAGON. — Il y a combien de temps que tu es là?

GARÇON. — Il y a un moment, monsieur.

VLADIMIR. — Tu as eu peur du fouet?

GARÇON. — Oui, monsieur.

VLADIMIR. — Des cris?

GARÇON. — Oui, monsieur.

VLADIMIR. — Des deux messieurs?

GARÇON. — Oui, monsieur.

VLADIMIR. — Tu les connais?

GARÇON. — Non, monsieur.

VLADIMIR. — Tu es d'ici?

GARÇON. — Oui, monsieur.

ESTRAGON. — Tout ça c'est des mensonges! *(Il*

prend le garçon par le bras, le secoue.) Dis-nous la vérité!

GARÇON *(tremblant).* — Mais c'est la vérité, monsieur.

VLADIMIR. — Mais laisse-le donc tranquille! Qu'est-ce que tu as? *(Estragon lâche le garçon, recule, porte ses mains au visage. Vladimir et le garçon le regardent. Estragon découvre son visage, décomposé.)* Qu'est-ce que tu as?

ESTRAGON. — Je suis malheureux.

VLADIMIR. — Sans blague! Depuis quand?

ESTRAGON. — J'avais oublié.

VLADIMIR. — La mémoire nous joue de ces tours. *(Estragon veut parler, y renonce, va en boitillant s'asseoir et commence à se déchausser. Au garçon.)* Eh bien?

GARÇON. — Monsieur Godot...

VLADIMIR *(l'interrompant).* — Je t'ai déjà vu, n'est-ce pas?

GARÇON. — Je ne sais pas, monsieur.

VLADIMIR. — Tu ne me connais pas?

GARÇON. — Non, monsieur.

VLADIMIR. — Tu n'es pas venu hier?

GARÇON. — Non, monsieur.

VLADIMIR. — C'est la première fois que tu viens?

GARÇON. — Oui, monsieur.

Silence.

74

VLADIMIR. — On dit ça. *(Un temps.)* Eh bien, continue.

GARÇON *(d'un trait)*. — Monsieur Godot m'a dit de vous dire qu'il ne viendra pas ce soir mais sûrement demain.

VLADIMIR. — C'est tout?

GARÇON. — Oui, monsieur.

VLADIMIR. — Tu travailles pour monsieur Godot?

GARÇON. — Oui, monsieur.

VLADIMIR. — Qu'est-ce que tu fais?

GARÇON. — Je garde les chèvres, monsieur.

VLADIMIR. — Il est gentil avec toi?

GARÇON. — Oui, monsieur.

VLADIMIR. — Il ne te bat pas?

GARÇON. — Non, monsieur, pas moi.

VLADIMIR. — Qui est-ce qu'il bat?

GARÇON. — Il bat mon frère, monsieur.

VLADIMIR. — Ah, tu as un frère?

GARÇON. — Oui, monsieur.

VLADIMIR. — Qu'est-ce qu'il fait?

GARÇON. — Il garde les brebis, monsieur.

VLADIMIR. — Et pourquoi il ne te bat pas, toi?

GARÇON. — Je ne sais pas, monsieur.

VLADIMIR. — Il doit t'aimer.

GARÇON. — Je ne sais pas, monsieur.

VLADIMIR. — Il te donne assez à manger? *(Le garçon hésite.)* Est-ce qu'il te donne bien à manger?

GARÇON. — Assez bien, monsieur.

VLADIMIR. — Tu n'es pas malheureux? *(Le garçon hésite.)* Tu entends?

GARÇON. — Oui, monsieur.

VLADIMIR. — Et alors?

GARÇON. — Je ne sais pas, monsieur.

VLADIMIR. — Tu ne sais pas si tu es malheureux ou non?

GARÇON. — Non, monsieur.

VLADIMIR. — C'est comme moi. *(Un temps.)* Où c'est que tu couches?

GARÇON. — Dans le grenier, monsieur.

VLADIMIR. — Avec ton frère?

GARÇON. — Oui, monsieur.

VLADIMIR. — Dans le foin?

GARÇON. — Oui, monsieur.

Un temps.

VLADIMIR. — Bon, va-t'en.

GARÇON. — Qu'est-ce que je dois dire à monsieur Godot, monsieur?

VLADIMIR. — Dis-lui... *(Il hésite.)* Dis-lui que tu nous as vus. *(Un temps.)* Tu nous a bien vus, n'est-ce pas?

GARÇON. — Oui, monsieur.

Il recule, hésite, se retourne et sort en courant.

La lumière se met brusquement à baisser. En un instant il fait nuit. La lune se lève, au fond, monte

dans le ciel, s'immobilise, baignant la scène d'une clarté argentée.

VLADIMIR. — Enfin! *(Estragon se lève et va vers Vladimir, ses deux chaussures à la main. Il les dépose près de la rampe, se redresse et regarde la lune.)* Qu'est-ce que tu fais?

ESTRAGON. — Je fais comme toi, je regarde la blafarde.

VLADIMIR. — Je veux dire, avec tes chaussures.

ESTRAGON. — Je les laisse là. *(Un temps.)* Un autre viendra, aussi... aussi... que moi, mais chaussant moins grand, et elles feront son bonheur.

VLADIMIR. — Mais tu ne peux pas aller pieds nus.

ESTRAGON. — Jésus l'a fait.

VLADIMIR. — Jésus! Qu'est-ce que tu vas chercher là! Tu ne vas tout de même pas te comparer à lui?

ESTRAGON. — Toute ma vie je me suis comparé à lui.

VLADIMIR. — Mais là-bas il faisait chaud! Il faisait bon!

ESTRAGON. — Oui. Et on crucifiait vite.

Silence.

VLADIMIR. — Nous n'avons plus rien à faire ici.

ESTRAGON. — Ni ailleurs.

77

VLADIMIR. — Voyons, Gogo, ne sois pas comme ça. Demain tout ira mieux.

ESTRAGON. — Comment ça?

VLADIMIR. — Tu n'as pas entendu ce que le gosse a dit?

ESTRAGON. — Non.

VLADIMIR. — Il a dit que Godot viendra sûrement demain. *(Un temps.)* Ça ne te dit rien?

ESTRAGON. — Alors il n'y a qu'à attendre ici.

VLADIMIR. — Tu es fou! Il faut s'abriter. *(Il prend Estragon par le bras.)* Viens.

Il le tire. Estragon cède d'abord, puis résiste. Ils s'arrêtent.

ESTRAGON *(regardant l'arbre)*. — Dommage qu'on n'ait pas un bout de corde.

VLADIMIR. — Viens. Il commence à faire froid. *(Il le tire. Même jeu.)*

ESTRAGON. — Fais-moi penser d'apporter une corde demain.

VLADIMIR. — Oui. Viens.

Il le tire. Même jeu.

ESTRAGON. — Ça fait combien de temps que nous sommes tout le temps ensemble?

VLADIMIR. — Je ne sais pas. Cinquante ans peut-être.

ESTRAGON. — Tu te rappelles le jour où je me suis jeté dans la Durance?

VLADIMIR. — On faisait les vendanges.

ESTRAGON. — Tu m'as repêché.

VLADIMIR. — Tout ça est mort et enterré.

ESTRAGON. — Mes vêtements ont séché au soleil.

VLADIMIR. — N'y pense plus, va. Viens.

Même jeu.

ESTRAGON. — Attends.

VLADIMIR. — J'ai froid.

ESTRAGON. — Je me demande si on n'aurait pas mieux fait de rester seuls, chacun de son côté. *(Un temps.)* On n'était pas faits pour le même chemin.

VLADIMIR *(sans se fâcher).* — Ce n'est pas sûr.

ESTRAGON. — Non, rien n'est sûr.

VLADIMIR. — On peut toujours se quitter, si tu crois que ça vaut mieux.

ESTRAGON. — Maintenant ce n'est plus la peine.

Silence.

VLADIMIR. — C'est vrai, maintenant ce n'est plus la peine.

Silence.

ESTRAGON. — Alors, on y va?

VLADIMIR. — Allons-y.

Ils ne bougent pas.

RIDEAU

ACTE DEUXIÈME

Lendemain. Même heure. Même endroit.

Chaussures d'Estragon près de la rampe, talons joints, bouts écartés. Chapeau de Lucky à la même place.

L'arbre porte quelques feuilles.

Entre Vladimir, vivement. Il s'arrête et regarde longuement l'arbre. Puis brusquement il se met à arpenter vivement la scène dans tous les sens. Il s'immobilise à nouveau devant les chaussures, se baisse, en ramasse une, l'examine, la renifle, la remet soigneusement à sa place. Il reprend son va-et-vient précipité. Il s'arrête près de la coulisse droite, regarde longuement au loin, la main en écran devant les yeux. Va et vient. S'arrête près de la coulisse gauche, même jeu. Va et vient. S'arrête brusquement, joint les mains sur la poitrine, rejette la tête en arrière et se met à chanter à tue-tête.

VLADIMIR :

Un chien vint dans...

Ayant commencé trop bas, il s'arrête, tousse,
reprend plus haut :

Un chien vint dans l'office
Et prit une andouillette.
Alors à coups de louche
Le chef le mit en miettes.

Les autres chiens ce voyant
Vite vite l'ensevelirent...

Il s'arrête, se recueille, puis reprend :

Les autres chiens ce voyant
Vite vite l'ensevelirent
Au pied d'une croix en bois blanc
Où le passant pouvait lire :
Un chien vint dans l'office
Et prit une andouillette.
Alors à coups de louche
Le chef le mit en miettes.
Les autres chiens ce voyant
Vite vite l'ensevelirent...

Il s'arrête. Même jeu.

Les autres chiens ce voyant
Vite vite l'ensevelirent...

Il s'arrête. Même jeu. Plus bas.

Vite vite l'ensevelirent...

Il se tait, reste un moment immobile, puis se remet à arpenter fébrilement la scène dans tous les sens. Il s'arrête à nouveau devant l'arbre, va et vient, devant les chaussures, va et vient, court à la coulisse gauche, regarde au loin, à la coulisse droite, regarde au loin. A ce moment Estragon entre par la coulisse gauche, pieds nus, tête basse, et traverse lentement la scène. Vladimir se retourne et le voit.

VLADIMIR. — Encore toi! *(Estragon s'arrête mais ne lève pas la tête. Vladimir va vers lui.)* Viens que je t'embrasse!

ESTRAGON. — Ne me touche pas!

Vladimir suspend son vol, peiné. Silence.

VLADIMIR. — Veux-tu que je m'en aille? *(Un temps).* Gogo! *(Un temps. Vladimir le regarde avec attention.)* On t'a battu? *(Un temps.)* Gogo! *(Estragon se tait toujours, la tête basse.)* Où as-tu passé la nuit?

Silence. Vladimir avance.

ESTRAGON. — Ne me touche pas! Ne me demande rien! Ne me dis rien! Reste avec moi!

VLADIMIR. — Est-ce que je t'ai jamais quitté?

ESTRAGON. — Tu m'as laissé partir.

VLADIMIR. — Regarde-moi! *(Estragon ne bouge pas. D'une voix tonnante.)* Regarde-moi, je te dis!

Estragon lève la tête. Ils se regardent longuement, en reculant, avançant et penchant la tête comme devant un objet d'art, tremblant de plus en plus l'un vers l'autre, puis soudain s'étreignent, en se tapant sur le dos. Fin de l'étreinte. Estragon, n'étant plus soutenu, manque de tomber.

ESTRAGON. — Quelle journée!

VLADIMIR. — Qui t'a esquinté? Raconte-moi.

ESTRAGON. — Voilà encore une journée de tirée.

VLADIMIR. — Pas encore.

ESTRAGON. — Pour moi elle est terminée, quoi qu'il arrive. *(Silence.)* Tout à l'heure, tu chantais, je t'ai entendu.

VLADIMIR. — C'est vrai, je me rappelle.

ESTRAGON. — Cela m'a fait de la peine. Je me disais, Il est seul, il me croit parti pour toujours et il chante.

VLADIMIR. — On ne commande pas à son humeur. Toute la journée je me suis senti dans une forme extraordinaire. *(Un temps.)* Je ne me suis pas levé de la nuit, pas une seule fois.

ESTRAGON *(tristement)*. — Tu vois, tu pisses mieux quand je ne suis pas là.

VLADIMIR. — Tu me manquais — et en même temps j'étais content. N'est-ce pas curieux?

ESTRAGON *(outré)*. — Content?

VLADIMIR *(ayant réfléchi)*. — Ce n'est peut-être pas le mot.

ESTRAGON. — Et maintenant?

VLADIMIR *(s'étant consulté)*. — Maintenant... *(joyeux)* te revoilà... *(neutre)* nous revoilà... *(triste)* me revoilà.

ESTRAGON. — Tu vois, tu vas moins bien quand je suis là. Moi aussi, je me sens mieux seul.

VLADIMIR *(piqué)*. — Alors pourquoi rappliquer?

ESTRAGON. — Je ne sais pas.

VLADIMIR. — Mais moi je le sais. Parce que tu ne sais pas te défendre. Moi je ne t'aurais pas laissé battre.

ESTRAGON. — Tu n'aurais pas pu l'empêcher.

VLADIMIR. — Pourquoi?

ESTRAGON. — Ils étaient dix.

VLADIMIR. — Mais non, je veux dire que je t'aurais empêché de t'exposer à être battu.

ESTRAGON. — Je ne faisais rien.

VLADIMIR. — Alors pourquoi ils t'ont battu?

ESTRAGON. — Je ne sais pas.

VLADIMIR. — Non, vois-tu, Gogo, il y a des choses qui t'échappent qui ne m'échappent pas à moi. Tu dois le sentir.

ESTRAGON. — Je te dis que je faisais rien.

VLADIMIR. — Peut-être bien que non. Mais il y a

85

la manière, il y a la manière, si on tient à sa peau.
Enfin, ne parlons plus de ça. Te voilà revenu, et
j'en suis bien content.

ESTRAGON. — Ils étaient dix.

VLADIMIR. — Toi aussi, tu dois être content, au
fond, avoue-le.

ESTRAGON. — Content de quoi?

VLADIMIR. — De m'avoir retrouvé.

ESTRAGON. — Tu crois?

VLADIMIR. — Dis-le, même si ce n'est pas vrai.

ESTRAGON. — Qu'est-ce que je dois dire?

VLADIMIR. — Dis, Je suis content.

ESTRAGON. — Je suis content.

VLADIMIR. — Moi aussi.

ESTRAGON. — Moi aussi.

VLADIMIR. — Nous sommes contents.

ESTRAGON. — Nous sommes contents. *(Silence.)*
Qu'est-ce qu'on fait, maintenant qu'on est contents?

VLADIMIR. — On attend Godot.

ESTRAGON. — C'est vrai.

Silence.

VLADIMIR. — Il y a du nouveau ici, depuis hier.

ESTRAGON. — Et s'il ne vient pas?

VLADIMIR *(après un moment d'incompréhension).*
— Nous aviserons. *(Un temps).* Je te dis qu'il y a
du nouveau ici, depuis hier.

ESTRAGON. — Tout suinte.

VLADIMIR. — Regarde-moi l'arbre.

86

ESTRAGON. — On ne descend pas deux fois dans le même pus.

VLADIMIR. — L'arbre, je te dis, regarde-le.

Estragon regarde l'arbre.

ESTRAGON. — Il n'était pas là hier?

VLADIMIR. — Mais si. Tu ne te rappelles pas. Il s'en est fallu d'un cheveu qu'on ne s'y soit pendus. *(Il réfléchit.)* Oui, c'est juste *(en détachant les mots)* qu'on-ne-s'y-soit-pendus. Mais tu n'as pas voulu. Tu ne te rappelles pas?

ESTRAGON. — Tu l'as rêvé.

VLADIMIR. — Est-ce possible que tu aies oublié déjà?

ESTRAGON. — Je suis comme ça. Ou j'oublie tout de suite ou je n'oublie jamais.

VALDIMIR. — Et Pozzo et Lucky, tu as oublié aussi?

ESTRAGON. — Pozzo et Lucky?

VLADIMIR. — Il a tout oublié!

ESTRAGON. — Je me rappelle un énergumène qui m'a foutu des coups de pied. Ensuite il a fait le con.

VLADIMIR. — C'était Lucky!

ESTRAGON. — Ça, je m'en souviens. Mais quand c'était?

VLADIMIR. — Et l'autre qui le menait, tu t'en souviens aussi?

ESTRAGON. — Il m'a donné des os.

VLADIMIR. — C'était Pozzo!

ESTRAGON. — Et tu dis que c'était hier, tout ça?

VLADIMIR. — Mais oui, voyons.

ESTRAGON. — Et à cet endroit?

VLADIMIR. — Mais bien sûr! Tu ne reconnais pas?

ESTRAGON *(soudain furieux).* — Reconnais! Qu'est-ce qu'il y a à reconnaître? J'ai tiré ma roulure de vie au milieu des sables! Et tu veux que j'y voie des nuances! *(Regard circulaire.)* Regarde-moi cette saloperie! Je n'en ai jamais bougé!

VLADIMIR. — Du calme, du calme.

ESTRAGON. — Alors fous-moi la paix avec tes paysages! Parle-moi du sous-sol!

VLADIMIR. — Tout de même, tu ne vas pas me dire que ça *(geste)* ressemble au Vaucluse! Il y a quand même une grosse différence.

ESTRAGON. — Le Vaucluse! Qui te parle du Vaucluse?

VLADIMIR. — Mais tu as bien été dans le Vaucluse?

ESTRAGON. — Mais non, je n'ai jamais été dans le Vaucluse! J'ai coulé toute ma chaudepisse d'existence ici, je te dis! Ici! Dans la Merdecluse!

VLADIMIR. — Pourtant nous avons été ensemble

dans le Vaucluse, j'en mettrais ma main au feu. Nous avons fait les vendanges, tiens, chez un nommé Bonnelly, à Roussillon.

ESTRAGON *(plus calme)*. — C'est possible. Je n'ai rien remarqué.

VLADIMIR. — Mais là-bas tout est rouge!

ESTRAGON *(excédé)*. — Je n'ai rien remarqué, je te dis!

Silence. Vladimir soupire profondément

VLADIMIR. — Tu es difficile à vivre, Gogo.

ESTRAGON. — On ferait mieux de se séparer.

VLADIMIR. — Tu dis toujours ça. Et chaque fois tu reviens.

Silence.

ESTRAGON. — Pour bien faire, il faudrait me tuer, comme l'autre.

VLADIMIR. — Quel autre? *(Un temps.)* Quel autre?

ESTRAGON. — Comme des billions d'autres.

VLADIMIR *(sentencieux)*. — A chacun sa petite croix. *(Il soupire.)* Pendant le petit pendant et le bref après.

ESTRAGON. — En attendant, essayons de converser sans nous exalter, puisque nous sommes incapables de nous taire.

VLADIMIR. — C'est vrai, nous sommes intarissables.

ESTRAGON. — C'est pour ne pas penser.
VLADIMIR. — Nous avons des excuses.
ESTRAGON. — C'est pour ne pas entendre.
VLADIMIR. — Nous avons nos raisons.
ESTRAGON. — Toutes les voix mortes.
VLADIMIR. — Ça fait un bruit d'ailes.
ESTRAGON. — De feuilles.
VLADIMIR. — De sable.
ESTRAGON. — De feuilles.

Silence.

VLADIMIR. — Elles parlent toutes en même temps.
ESTRAGON. — Chacune à part soi.

Silence.

VLADIMIR. — Plutôt elles chuchotent.
ESTRAGON. — Elles murmurent.
VLADIMIR. — Elles bruissent.
ESTRAGON. — Elles murmurent.

Silence.

VLADIMIR. — Que disent-elles?
ESTRAGON. — Elles parlent de leur vie.
VLADIMIR. — Il ne leur suffit pas d'avoir vécu.
ESTRAGON. — Il faut qu'elles en parlent.
VLADIMIR. — Il ne leur suffit pas d'être mortes.
ESTRAGON. — Ce n'est pas assez.

Silence.

VLADIMIR. — Ça fait comme un bruit de plumes.

ESTRAGON. — De feuilles.

VLADIMIR. — De cendres.

ESTRAGON. — De feuilles.

Long silence.

VLADIMIR. — Dis quelque chose!

ESTRAGON. — Je cherche.

Long silence.

VLADIMIR *(angoissé)*. — Dis n'importe quoi!

ESTRAGON. — Qu'est-ce qu'on fait maintenant?

VLADIMIR. — On attend Godot.

ESTRAGON. — C'est vrai.

Silence.

VLADIMIR. — Ce que c'est difficile!

ESTRAGON. — Si tu chantais?

VLADIMIR. — Non non. *(Il cherche.)* On n'a qu'à recommencer.

ESTRAGON. — Ça ne me semble pas bien difficile, en effet.

VLADIMIR. — C'est le départ qui est difficile.

ESTRAGON. — On peut partir de n'importe quoi.

VLADIMIR. — Oui, mais il faut se décider.

ESTRAGON. — C'est vrai.

Silence.

VLADIMIR. — Aide-moi!

ESTRAGON. — Je cherche.

Silence.

VLADIMIR. — Quand on cherche on entend.

ESTRAGON. — C'est vrai.

VLADIMIR. — Ça empêche de trouver.

ESTRAGON. — Voilà.

VLADIMIR. — Ça empêche de penser.

ESTRAGON. — On pense quand même.

VLADIMIR. — Mais non, c'est impossible.

ESTRAGON. — C'est ça, contredisons-nous.

VLADIMIR. — Impossible.

ESTRAGON. — Tu crois?

VLADIMIR. — Nous ne risquons plus de penser.

ESTRAGON. — Alors de quoi nous plaignons-nous?

VLADIMIR. — Ce n'est pas le pire, de penser.

ESTRAGON. — Bien sûr, bien sûr, mais c'est déjà ça.

VLADIMIR. — Comment, c'est déjà ça?

ESTRAGON. — C'est ça, posons-nous des questions.

VLADIMIR. — Qu'est-ce que tu veux dire, c'est déjà ça?

ESTRAGON. — C'est déjà ça en moins.

VLADIMIR. — Évidemment.

ESTRAGON. — Alors? Si on s'estimait heureux?

VLADIMIR. — Ce qui est terrible, c'est d'avoir pensé.

ESTRAGON. — Mais cela nous est-il jamais arrivé?

VLADIMIR. — D'où viennent tous ces cadavres?

ESTRAGON. — Ces ossements.

VLADIMIR. — Voilà.

ESTRAGON. — Évidemment.

VLADIMIR. — On a dû penser un peu.

ESTRAGON. — Tout à fait au commencement.

VLADIMIR. — Un charnier, un charnier.

ESTRAGON. — Il n'y a qu'à ne pas regarder.

VLADIMIR. — Ça tire l'œil.

ESTRAGON. — C'est vrai.

VLADIMIR. — Malgré qu'on en ait.

ESTRAGON. — Comment?

VLADIMIR. — Malgré qu'on en ait.

ESTRAGON. — Il faudrait se tourner résolument vers la nature.

VLADIMIR. — Nous avons essayé.

ESTRAGON. — C'est vrai.

VLADIMIR. — Oh, ce n'est pas le pire, bien sûr.

ESTRAGON. — Quoi donc?

VLADIMIR. — D'avoir pensé.

ESTRAGON. — Évidemment.

VLADIMIR. — Mais on s'en serait passé.

ESTRAGON. — Qu'est-ce que tu veux?

VLADIMIR. — Je sais, je sais.

Silence.

ESTRAGON. — Ce n'était pas si mal comme petit galop.

VLADIMIR. — Oui, mais maintenant il va falloir trouver autre chose.

93

ESTRAGON. — Voyons.
VLADIMIR. — Voyons.
ESTRAGON. — Voyons.

Ils réfléchissent.

VLADIMIR. — Qu'est-ce que je disais? On pourrait reprendre là.
ESTRAGON. — Quand?
VLADIMIR. — Tout à fait au début.
ESTRAGON. — Au début de quoi?
VLADIMIR. — Ce soir. Je disais... je disais...
ESTRAGON. — Ma foi, là tu m'en demandes trop.
VLADIMIR. — Attends... on s'est embrassés... on était contents... contents... qu'est-ce qu'on fait maintenant qu'on est contents... on attend... voyons... ça vient... on attend... maintenant qu'on est contents... on attend... voyons... ah! L'arbre!
ESTRAGON. — L'arbre?
VLADIMIR. — Tu ne te rappelles pas?
ESTRAGON. — Je suis fatigué.
VLADIMIR. — Regarde-le.

Estragon regarde l'arbre.

ESTRAGON. — Je ne vois rien.
VLADIMIR. — Mais hier soir il était tout noir et squelettique! Aujourd'hui il est couvert de feuilles.
ESTRAGON. — De feuilles?

VLADIMIR. — Dans une seule nuit!

ESTRAGON. — On doit être au printemps.

VLADIMIR. — Mais dans une seule nuit!

ESTRAGON. — Je te dis que nous n'étions pas là hier soir. Tu l'as cauchemardé.

VLADIMIR. — Et où étions-nous hier soir, d'après toi?

ESTRAGON. — Je ne sais pas. Ailleurs. Dans un autre compartiment. Ce n'est pas le vide qui manque.

VLADIMIR *(sûr de son fait)*. — Bon. Nous n'étions pas là hier soir. Maintenant, qu'est-ce que nous avons fait hier soir?

ESTRAGON. — Ce que nous avons fait?

VLADIMIR. — Essaie de te rappeler.

ESTRAGON. — Eh ben... nous avons dû bavarder.

VLADIMIR *(se maîtrisant)*. — A propos de quoi?

ESTRAGON. — Oh... à bâtons rompus peut-être, à propos de bottes. *(Avec assurance.)* Voilà, je me rappelle, hier soir nous avons bavardé à propos de bottes. Il y a un demi-siècle que ça dure.

VLADIMIR. — Tu ne te rappelles aucun fait, aucune circonstance?

ESTRAGON *(las)*. — Ne me tourmente pas, Didi.

VLADIMIR. — Le soleil? La lune? Tu ne te rappelles pas?

ESTRAGON. — Ils devaient être là, comme d'habitude.

VLADIMIR. — Tu n'as rien remarqué d'insolite?
ESTRAGON. — Hélas.
VLADIMIR. — Et Pozzo? Et Lucky?
ESTRAGON. — Pozzo?
VLADIMIR. — Les os.
ESTRAGON. — On aurait dit des arêtes.
VLADIMIR. — C'est Pozzo qui te les a donnés.
ESTRAGON. — Je ne sais pas.
VLADIMIR. — Et le coup de pied?
ESTRAGON. — Le coup de pied? C'est vrai, on m'a donné des coups de pied.
VLADIMIR. — C'est Lucky qui te les a donnés.
ESTRAGON. — C'était hier, tout ça?
VLADIMIR. — Fais voir ta jambe.
ESTRAGON. — Laquelle?
VLADIMIR. — Les deux. Relève ton pantalon.
(Estragon, sur un pied, tend la jambe vers Vladimir, manque de tomber. Vladimir prend la jambe. Estragon chancelle.) Relève ton pantalon.
ESTRAGON *(titubant)*. — Je ne peux pas.

Vladimir relève le pantalon, regarde la jambe, la lâche. Estragon manque de tomber.

VLADIMIR. — L'autre. *(Estragon donne la même jambe.)* L'autre, je te dis! *(Même jeu avec l'autre jambe.)* Voilà la plaie en train de s'infecter!
ESTRAGON. — Et après?
VLADIMIR. — Où sont tes chaussures?

ESTRAGON. — J'ai dû les jeter.

VLADIMIR. — Quand?

ESTRAGON. — Je ne sais pas.

VLADIMIR. — Pourquoi?

ESTRAGON. — Je ne me rappelle pas.

VLADIMIR. — Non, je veux dire pourquoi tu les as jetées?

ESTRAGON. — Elles me faisaient mal.

VLADIMIR *(montrant les chaussures)*. — Les voilà! *(Estragon regarde les chaussures.)* A l'endroit même où tu les as posées hier soir.

Estragon va vers les chaussures, se penche, les inspecte de près.

ESTRAGON. — Ce ne sont pas les miennes.

VLADIMIR. — Pas les tiennes!

ESTRAGON. — Les miennes étaient noires. Celles-ci sont jaunes.

VLADIMIR. — Tu es sûr que les tiennes étaient noires?

ESTRAGON. — C'est-à-dire qu'elles étaient grises.

VLADIMIR. — Et celles-ci sont jaunes? Fais voir.

ESTRAGON *(soulevant une chaussure)*. — Enfin, elles sont verdâtres.

VLADIMIR *(avançant)*. — Fais voir. *(Estragon lui donne la chaussure. Vladimir la regarde, la jette avec colère.)* Ça alors!

ESTRAGON. — Tu vois, tout ça c'est des...

VLADIMIR. — Je vois ce que c'est. Oui, je vois ce qui s'est passé.

ESTRAGON. — Tout ça c'est des...

VLADIMIR. — C'est simple comme bonjour. Un type est venu qui a pris les tiennes et t'a laissé les siennes.

ESTRAGON. — Pourquoi?

VLADIMIR. — Les siennes ne lui allaient pas. Alors il a pris les tiennes.

ESTRAGON. — Mais les miennes étaient trop petites.

VLADIMIR. — Pour toi. Pas pour lui.

ESTRAGON. — Je suis fatigué. *(Un temps.)* Allons-nous-en.

VLADIMIR. — On ne peut pas.

ESTRAGON. — Pourquoi?

VLADIMIR. — On attend Godot.

ESTRAGON. — C'est vrai. *(Un temps.)* Alors comment faire?

VLADIMIR. — Il n'y a rien à faire.

ESTRAGON. — Mais moi je n'en peux plus.

VLADIMIR. — Veux-tu un radis?

ESTRAGON. — C'est tout ce qu'il y a?

VLADIMIR. — Il y a des radis et des navets.

ESTRAGON. — Il n'y a plus de carottes?

VLADIMIR. — Non. D'ailleurs tu exagères avec les carottes.

ESTRAGON. — Alors donne-moi un radis. *(Vla-*

dimir fouille dans ses poches, ne trouve que des navets, sort finalement un radis qu'il donne à Estragon qui l'examine, le renifle.) Il est noir!

VLADIMIR. — C'est un radis.

ESTRAGON. — Je n'aime que les roses, tu le sais bien!

VLADIMIR. — Alors tu n'en veux pas?

ESTRAGON. — Je n'aime que les roses!

VLADIMIR. — Alors rends-le-moi.

Estragon le lui rend.

ESTRAGON. — Je vais chercher une carotte.

Il ne bouge pas.

VLADIMIR. — Ceci devient vraiment insignifiant.

ESTRAGON. — Pas encore assez.

Silence.

VLADIMIR. — Si tu les essayais?

ESTRAGON. — J'ai tout essayé.

VLADIMIR. — Je veux dire, les chaussures.

ESTRAGON. — Tu crois?

VLADIMIR. — Ça fera passer le temps. *(Estragon hésite.)* Je t'assure, ce sera une diversion.

ESTRAGON. — Un délassement.

VLADIMIR. — Une distraction.

ESTRAGON. — Un délassement.

VLADIMIR. — Essaie.

ESTRAGON. — Tu m'aideras?

VLADIMIR. — Bien sûr.

ESTRAGON. — On ne se débrouille pas trop mal, hein, Didi, tous les deux ensemble?

VLADIMIR. — Mais oui, mais oui. Allez, on va essayer la gauche d'abord.

ESTRAGON. — On trouve toujours quelque chose, hein, Didi, pour nous donner l'impression d'exister?

VLADIMIR *(impatiemment)*. — Mais oui, mais oui, on est des magiciens. Mais ne nous laissons pas détourner de ce que nous avons résolu. *(Il ramasse une chaussure.)* Viens, donne ton pied. *(Estragon s'approche de lui, lève le pied.)* L'autre, porc! *(Estragon lève l'autre pied.)* Plus haut! *(Les corps emmêlés, ils titubent à travers la scène. Vladimir réussit finalement à lui mettre la chaussure.)* Essaie de marcher. *(Estragon marche.)* Alors?

ESTRAGON. — Elle me va.

VLADIMIR *(prenant de la ficelle dans sa poche)*. — On va la lacer.

ESTRAGON *(véhémentement)*. — Non, non, pas de lacet, pas de lacet!

VLADIMIR. — Tu as tort. Essayons l'autre. *(Même jeu.)* Alors?

ESTRAGON. — Elle me va aussi.

VLADIMIR. — Elles ne te font pas mal?

ESTRAGON *(faisant quelques pas appuyés)*. — Pas encore.

VLADIMIR. — Alors tu peux les garder.

ESTRAGON. — Elles sont trop grandes.

VLADIMIR. — Tu auras peut-être des chaussettes un jour.

ESTRAGON. — C'est vrai.

VLADIMIR. — Alors tu les gardes?

ESTRAGON. — Assez parlé de ces chaussures.

VLADIMIR. — Oui, mais...

ESTRAGON. — Assez! *(Silence.)* Je vais quand même m'asseoir.

Il cherche des yeux où s'asseoir, puis va s'asseoir là où il était assis au début du premier acte.

VLADIMIR. — C'est là où tu étais assis hier soir.

Silence.

ESTRAGON. — Si je pouvais dormir.

VLADIMIR. — Hier soir tu as dormi.

ESTRAGON. — Je vais essayer.

Il prend une posture utérine, la tête entre les jambes.

VLADIMIR. — Attends. *(Il s'approche d'Estragon et se met à chanter d'une voix forte.)*

Do do do do

ESTRAGON *(levant la tête)*. — Pas si fort.

VLADIMIR *(moins fort)*.

Do do do do
Do do do do

Do do do do
Do do...

*Estragon s'endort. Vladimir enlève son veston et lui
en couvre les épaules, puis se met à marcher de long en
large en battant des bras pour se réchauffer. Estragon
se réveille en sursaut, se lève, fait quelques pas affolés.
Vladimir court vers lui, l'entoure de son bras.*

VLADIMIR. — Là... là... je suis là... n'aie pas
peur.
ESTRAGON. — Ah!
VLADIMIR. — Là... là... c'est fini.
ESTRAGON. — Je tombais.
VLADIMIR. — C'est fini. N'y pense plus.
ESTRAGON. — J'étais sur un...
VLADIMIR. — Non, non, ne dis rien. Viens, on va
marcher un peu.

*Il prend Estragon par le bras et le fait marcher
de long en large, jusqu'à ce qu'Estragon refuse d'aller
plus loin.*

ESTRAGON. — Assez! Je suis fatigué.
VLADIMIR. — Tu aimes mieux être planté là
à ne rien faire?
ESTRAGON. — Oui.
VLADIMIR. — Comme tu veux.

Il lâche Estragon, va ramasser son veston et le met.

ESTRAGON. — Allons-nous-en.

VLADIMIR. — On ne peut pas.

ESTRAGON. — Pourquoi?

VLADIMIR. — On attend Godot.

ESTRAGON. — C'est vrai. *(Vladimir reprend son va-et-vient.)* Tu ne peux pas rester tranquille?

VLADIMIR. — J'ai froid.

ESTRAGON. — On est venus trop tôt.

VLADIMIR. — C'est toujours à la tombée de la nuit.

ESTRAGON. — Mais la nuit ne tombe pas.

VLADIMIR. — Elle tombera tout d'un coup, comme hier.

ESTRAGON. — Puis ce sera la nuit.

VLADIMIR. — Et nous pourrons partir.

ESTRAGON. — Puis ce sera encore le jour. *(Un temps.)* Que faire, que faire?

VLADIMIR *(s'arrêtant de marcher, avec violence).* — Tu as bientôt fini de te plaindre? Tu commences à me casser les pieds, avec tes gémissements.

ESTRAGON. — Je m'en vais.

VLADIMIR *(apercevant le chapeau de Lucky).* — Tiens!

ESTRAGON. — Adieu.

VLADIMIR. — Le chapeau de Lucky! *(Il s'en approche.)* Voilà une heure que je suis là et je ne l'avais pas vu! *(Très content.)* C'est parfait!

ESTRAGON. — Tu ne me verras plus.

VLADIMIR. — Je ne me suis donc pas trompé d'endroit. Nous voilà tranquilles. *(Il ramasse le chapeau de Lucky, le contemple, le redresse.)* Ça devait être un beau chapeau. *(Il le met à la place du sien qu'il tend à Estragon.)* Tiens.

ESTRAGON. — Quoi?

VLADIMIR. — Tiens-moi ça.

Estragon prend le chapeau de Vladimir. Vladimir ajuste des deux mains le chapeau de Lucky. Estragon met le chapeau de Vladimir à la place du sien qu'il tend à Vladimir. Vladimir prend le chapeau d'Estragon. Estragon ajuste des deux mains le chapeau de Vladimir. Vladimir met le chapeau d'Estragon à la place de celui de Lucky qu'il tend à Estragon. Estragon prend le chapeau de Lucky. Vladimir ajuste des deux mains le chapeau d'Estragon. Estragon met le chapeau de Lucky à la place de celui de Vladimir qu'il tend à Vladimir. Vladimir prend son chapeau. Estragon ajuste des deux mains le chapeau de Lucky. Vladimir met son chapeau à la place de celui d'Estragon qu'il tend à Estragon. Estragon prend son chapeau. Vladimir ajuste son chapeau des deux mains. Estragon met son chapeau à la place de celui de Lucky qu'il tend à Vladimir. Vladimir prend le chapeau de Lucky. Estragon ajuste son chapeau des deux mains. Vladimir met le chapeau de Lucky à la place du sien qu'il tend à Estragon. Estragon prend

le chapeau de Vladimir. Vladimir ajuste des deux mains le chapeau de Lucky. Estragon tend le chapeau de Vladimir à Vladimir qui le prend et le tend à Estragon qui le prend et le tend à Vladimir qui le prend et le jette. Tout cela dans un mouvement vif.

VLADIMIR. — Il me va?

ESTRAGON. — Je ne sais pas.

VLADIMIR. — Non, mais comment me trouves-tu?

Il tourne la tête coquettement à droite et à gauche, prend des attitudes de mannequin.

ESTRAGON. — Affreux.

VLADIMIR. — Mais pas plus que d'habitude?

ESTRAGON. — La même chose.

VLADIMIR. — Alors je peux le garder. Le mien me faisait mal. *(Un temps.)* Comment dire? *(Un temps.)* Il me grattait.

ESTRAGON. — Je m'en vais.

VLADIMIR. — Tu ne veux pas jouer?

ESTRAGON. — Jouer à quoi?

VLADIMIR. — On pourrait jouer à Pozzo et Lucky.

ESTRAGON. — Connais pas.

VLADIMIR. — Moi je ferai Lucky, toi tu feras Pozzo. *(Il prend l'attitude de Lucky, ployant sous le poids de ses bagages. Estragon le regarde avec stupéfaction.)* Vas-y.

ESTRAGON. — Qu'est-ce que je dois faire?
VLADIMIR. — Engueule-moi!
ESTRAGON. — Salaud!
VLADIMIR. — Plus fort!
ESTRAGON. — Fumier! Crapule!

Vladimir avance, recule, toujours ployé.

VLADIMIR. — Dis-moi de penser.
ESTRAGON. — Comment?
VLADIMIR. — Dis, Pense, cochon!
ESTRAGON. — Pense, cochon!

Silence.

VLADIMIR. — Je ne peux pas!
ESTRAGON. — Assez!
VLADIMIR. — Dis-moi de danser.
ESTRAGON. — Je m'en vais.
VLADIMIR. — Danse, porc! *(Il se tord sur place.*
Estragon sort précipitamment.) Je ne peux pas! *(Il*
lève la tête, voit qu'Estragon n'est plus là, pousse un
cri déchirant.) Gogo! *(Silence. Il se met à arpen-*
ter la scène presque en courant. Estragon rentre pré-
cipitamment, essoufflé, court vers Vladimir. Ils s'ar-
rêtent à quelques pas l'un de l'autre.) Te revoilà
enfin!
ESTRAGON *(haletant).* — Je suis maudit!
VLADIMIR. — Où as-tu été? Je t'ai cru parti pour
toujours.

ESTRAGON. — Jusqu'au bord de la pente. On vient.

VLADIMIR. — Qui?

ESTRAGON. — Je ne sais pas.

VLADIMIR. — Combien?

ESTRAGON. — Je ne sais pas.

VLADIMIR *(triomphant)*. — C'est Godot! Enfin! *(Il embrasse Estragon avec effusion.)* Gogo! C'est Godot! Nous sommes sauvés! Allons à sa rencontre! Viens! *(Il tire Estragon vers la coulisse. Estragon résiste, se dégage, sort en courant de l'autre côté.)* Gogo! Reviens! *(Silence. Vladimir court à la coulisse par où Estragon vient de rentrer, regarde au loin. Estragon rentre précipitamment, court vers Vladimir qui se retourne.)* Te revoilà à nouveau!

ESTRAGON. — Je suis damné!

VLADIMIR. — Tu as été loin?

ESTRAGON. — Jusqu'au bord de la pente.

VLADIMIR. — En effet, nous sommes sur un plateau. Aucun doute, nous sommes servis sur un plateau.

ESTRAGON. — On vient par là aussi.

VLADIMIR. — Nous sommes cernés! *(Affolé, Estragon se précipite vers la toile de fond, s'y empêtre, tombe.)* Imbécile! Il n'y a pas d'issue par là. *(Vladimir va le relever, l'amène vers la rampe. Geste vers l'auditoire.)* Là il n'y a personne. Sauve-toi par là. Allez. *(Il le pousse vers la fosse. Estragon recule épou-*

vanté.) Tu ne veux pas? Ma foi, ça se comprend.
Voyons. *(Il réfléchit.)* Il ne te reste plus qu'à
disparaître.
ESTRAGON. — Où?
VLADIMIR. — Derrière l'arbre. *(Estragon hésite.)*
Vite! Derrière l'arbre. *(Estragon court se mettre der-
rière l'arbre qui ne le cache que très imparfaitement.)*
Ne bouge plus! *(Estragon sort de derrière l'arbre.)*
Décidément cet arbre ne nous aura servi à rien.
(A Estragon.) Tu n'es pas fou?
ESTRAGON *(plus calme).* — J'ai perdu la tête.
(Il baisse honteusement la tête.) Pardon! *(Il redresse
fièrement la tête.)* C'est fini! Maintenant tu vas
voir. Dis-moi ce qu'il faut faire.
VLADIMIR. — Il n'y a rien à faire.
ESTRAGON. — Toi tu vas te poster là. *(Il entraîne
Vladimir vers la coulisse gauche, le met dans l'axe
de la route, le dos à la scène.)* Là, ne bouge plus,
et ouvre l'œil. *(Il court vers l'autre coulisse. Vladimir le regarde par-dessus l'épaule. Estragon s'arrête,
regarde au loin, se retourne. Les deux se regardent
par-dessus l'épaule.)* Dos à dos comme au bon vieux
temps! *(Ils continuent à se regarder un petit moment,
puis chacun reprend le guet. Long silence.)* Tu ne
vois rien venir?
VLADIMIR *(se retournant).* — Comment?
ESTRAGON *(plus fort).* — Tu ne vois rien venir?
VLADIMIR. — Non.

ESTRAGON. — Moi non plus.

Ils reprennent le guet. Long silence.

VLADIMIR. — Tu as dû te tromper.

ESTRAGON *(se retournant)*. — Comment?

VLADIMIR *(plus fort)*. — Tu as dû te tromper.

ESTRAGON. — Ne crie pas.

Ils reprennent le guet. Long silence.

VLADIMIR, ESTRAGON *(se retournant simultané-ment)*. — Est-ce...

VLADIMIR. — Oh pardon!

ESTRAGON. — Je t'écoute.

VLADIMIR. — Mais non!

ESTRAGON. — Mais si!

VLADIMIR. — Je t'ai coupé.

ESTRAGON. — Au contraire.

Ils se regardent avec colère.

VLADIMIR. — Voyons, pas de cérémonie.

ESTRAGON. — Ne sois pas têtu, voyons.

VLADIMIR *(avec force)*. — Achève ta phrase, je te dis.

ESTRAGON *(de même)*. — Achève la tienne.

Silence. Ils vont l'un vers l'autre, s'arrêtent.

VLADIMIR. — Misérable!

ESTRAGON. — C'est ça, engueulons-nous. *(Échange d'injures. Silence.)* Maintenant raccom-modons-nous.

VLADIMIR. — Gogo!

ESTRAGON. — Didi!

VLADIMIR. — Ta main!

ESTRAGON. — La voilà!

VLADIMIR. — Viens dans mes bras!

ESTRAGON. — Tes bras?

VLADIMIR *(ouvrant les bras).* — Là-dedans!

ESTRAGON. — Allons-y.

Ils s'embrassent. Silence.

VLADIMIR. — Comme le temps passe quand on s'amuse!

Silence.

ESTRAGON. — Qu'est-ce qu'on fait maintenant?

VLADIMIR. — En attendant.

ESTRAGON. — En attendant.

Silence.

VLADIMIR. — Si on faisait nos exercices?

ESTRAGON. — Nos mouvements.

VLADIMIR. — D'assouplissement.

ESTRAGON. — De relaxation.

VLADIMIR. — De circumduction.

ESTRAGON. — De relaxation.

VLADIMIR. — Pour nous réchauffer.

ESTRAGON. — Pour nous calmer.

VLADIMIR. — Allons-y.

Il commence à sauter. Estragon l'imite.

ESTRAGON *(s'arrêtant)*. — Assez. Je suis fatigué.

VLADIMIR *(s'arrêtant)*. — Nous ne sommes pas en train. Faisons quand même quelques respirations.

ESTRAGON. — Je ne veux plus respirer.

VLADIMIR. — Tu as raison. *(Pause.)* Faisons quand même l'arbre, pour l'équilibre.

ESTRAGON. — L'arbre?

Vladimir fait l'arbre en titubant.

VLADIMIR *(s'arrêtant)*. — A toi.

Estragon fait l'arbre en titubant.

ESTRAGON. — Tu crois que Dieu me voit?

VLADIMIR. — Il faut fermer les yeux.

Estragon ferme les yeux, titube plus fort.

ESTRAGON *(s'arrêtant, brandissant les poings, à tue-tête)*. — Dieu aie pitié de moi!

VLADIMIR *(vexé)*. — Et moi?

ESTRAGON *(de même)*. — De moi! De moi! Pitié! De moi!

Entrent Pozzo et Lucky. Pozzo est devenu aveugle. Lucky chargé comme au premier acte. Corde comme au premier acte, mais beaucoup plus courte, pour permettre à Pozzo de suivre plus commodément. Lucky coiffé d'un nouveau chapeau. A la vue de Vladimir et Estragon il s'arrête. Pozzo, continuant son chemin,

III

*vient se heurter contre lui. Vladimir et Estragon
reculent.*

Pozzo *(s'agrippant à Lucky qui, sous ce nouveau
poids, chancelle).* — Qu'y a-t-il? Qui a crié?

*Lucky tombe, en lâchant tout, et entraîne Pozzo
dans sa chute. Ils restent étendus sans mouvement au
milieu des bagages.*

ESTRAGON. — C'est Godot?

VLADIMIR. — Ça tombe à pic. *(Il va vers le tas,
suivi d'Estragon.)* Enfin du renfort!

Pozzo *(voix blanche).* — Au secours.

ESTRAGON. — C'est Godot?

VLADIMIR. — Nous commencions à flancher.
Voilà notre fin de soirée assurée.

Pozzo. — A moi!

ESTRAGON. — Il appelle à l'aide.

VLADIMIR. — Nous ne sommes plus seuls, à
attendre la nuit, à attendre Godot, à attendre — à
attendre. Toute la soirée nous avons lutté, livrés
à nos propres moyens. Maintenant c'est fini. Nous
sommes déjà demain.

Pozzo. — A moi!

VLADIMIR. — Déjà le temps coule tout autre-
ment. Le soleil se couchera, la lune se lèvera et
nous partirons — d'ici.

Pozzo. — Pitié!

VLADIMIR. — Pauvre Pozzo!

ESTRAGON. — Je savais que c'était lui.

VLADIMIR. — Qui?

ESTRAGON. — Godot.

VLADIMIR. — Mais ce n'est pas Godot.

ESTRAGON. — Ce n'est pas Godot?

VLADIMIR. — Ce n'est pas Godot.

ESTRAGON. — Qui c'est alors?

VLADIMIR. — C'est Pozzo.

POZZO. — C'est moi! C'est moi! Relevez-moi!

VLADIMIR. — Il ne peut pas se relever.

ESTRAGON. — Allons-nous-en.

VLADIMIR. — On ne peut pas.

ESTRAGON. — Pourquoi?

VLADIMIR. — On attend Godot.

ESTRAGON. — C'est vrai.

VLADIMIR. — Peut-être qu'il a encore des os pour toi.

ESTRAGON. — Des os?

VLADIMIR. — De poulet. Tu te ne rappelles pas?

ESTRAGON. — C'était lui?

VLADIMIR. — Oui.

ESTRAGON. — Demande-lui.

VLADIMIR. — Si on l'aidait d'abord?

ESTRAGON. — A quoi faire?

VLADIMIR. — A se relever.

ESTRAGON. — Il ne peut se relever?

VLADIMIR. — Il veut se relever.

ESTRAGON. — Alors, qu'il se relève.

VLADIMIR. — Il ne peut pas.

ESTRAGON. — Qu'est-ce qu'il a?

VLADIMIR. — Je ne sais pas.

Pozzo se tord, gémit, frappe le sol avec ses poings.

ESTRAGON. — Si on lui demandait les os d'abord?
Puis s'il refuse on le laissera là.

VLADIMIR. — Tu veux dire que nous l'avons à
notre merci?

ESTRAGON. — Oui.

VLADIMIR. — Et qu'il faut mettre des conditions
à nos bons offices?

ESTRAGON. — Oui.

VLADIMIR. — Ça a l'air intelligent en effet. Mais
je crains une chose.

ESTRAGON. — Quoi?

VLADIMIR. — Que Lucky ne se mette en branle
tout d'un coup. Alors nous serions baisés.

ESTRAGON. — Lucky?

VLADIMIR. — C'est lui qui t'a attaqué hier.

ESTRAGON. — Je te dis qu'ils étaient dix.

VLADIMIR. — Mais non, avant, celui qui t'a
donné des coups de pied.

ESTRAGON. — Il est là?

VLADIMIR. — Mais regarde. *(Geste.)* Pour le
moment il est inerte. Mais il peut se déchaîner
d'un instant à l'autre.

ESTRAGON. — Si on lui donnait une bonne correction tous les deux?

VLADIMIR. — Tu veux dire si on lui tombait dessus pendant qu'il dort?

ESTRAGON. — Oui.

VLADIMIR. — C'est une bonne idée. Mais en sommes-nous capables? Dort-il vraiment? *(Un temps.)* Non, le mieux serait de profiter de ce que Pozzo appelle au secours pour le secourir, en tablant sur sa reconnaissance.

ESTRAGON. — Mais il ne...

VLADIMIR. — Ne perdons pas notre temps en de vains discours. *(Un temps. Avec véhémence.)* Faisons quelque chose, pendant que l'occasion se présente! Ce n'est pas tous les jours qu'on a besoin de nous. Non pas à vrai dire qu'on ait précisément besoin de nous. D'autres feraient aussi bien l'affaire, sinon mieux. L'appel que nous venons d'entendre, c'est plutôt à l'humanité tout entière qu'il s'adresse. Mais à cet endroit, en ce moment, l'humanité c'est nous, que ça nous plaise ou non. Profitons-en, avant qu'il soit trop tard. Représentons dignement pour une fois l'engeance où le malheur nous a fourrés. Qu'en dis-tu? *(Estragon n'en dit rien.)* Il est vrai qu'en pesant, les bras croisés, le pour et le contre, nous faisons également honneur à notre condition. Le tigre se précipite au secours de ses congénères sans la moindre réflexion. Ou bien il se sauve au

plus profond des taillis. Mais la question n'est pas
là. Que faisons-nous ici, voilà ce qu'il faut se
demander. Nous avons la chance de le savoir. Oui,
dans cette immense confusion, une seule chose est
claire : nous attendons que Godot vienne —

ESTRAGON. — C'est vrai.

VLADIMIR. — Ou que la nuit tombe. *(Un temps.)*
Nous sommes au rendez-vous, un point c'est tout.
Nous ne sommes pas des saints, mais nous sommes
au rendez-vous. Combien de gens peuvent en dire
autant?

ESTRAGON. — Des masses.

VLADIMIR. — Tu crois?

ESTRAGON. — Je ne sais pas.

VLADIMIR. — C'est possible.

POZZO. — Au secours!

VLADIMIR. — Ce qui est certain, c'est que le
temps est long, dans ces conditions, et nous pousse
à le meubler d'agissements qui, comment dire, qui
peuvent à première vue paraître raisonnables, mais
dont nous avons l'habitude. Tu me diras que c'est
pour empêcher notre raison de sombrer. C'est une
affaire entendue. Mais n'erre-t-elle pas déjà dans
la nuit permanente des grands fonds, voilà ce que
je me demande parfois. Tu suis mon raisonne-
ment?

ESTRAGON. — Nous naissons tous fous. Quelques-
uns le demeurent.

Pozzo. — Au secours, je vous donnerai de l'argent!

Estragon. — Combien?

Pozzo. — Cent francs.

Estragon. — Ce n'est pas assez.

Vladimir. — Je n'irais pas jusque-là.

Estragon. — Tu trouves que c'est assez?

Vladimir. — Non, je veux dire jusqu'à affirmer que je n'avais pas toute ma tête en venant au monde. Mais la question n'est pas là.

Pozzo. — Deux cents.

Vladimir. — Nous attendons. Nous nous ennuyons. *(Il lève la main.)* Non, ne proteste pas, nous nous ennuyons ferme, c'est incontestable. Bon. Une diversion se présente et que faisons-nous? Nous la laissons pourrir. Allons, au travail. *(Il avance vers Pozzo, s'arrête.)* Dans un instant, tout se dissipera, nous serons à nouveau seuls, au milieu des solitudes.

Il rêve.

Pozzo. — Deux cents!

Vladimir. — On arrive.

Il essaie de soulever Pozzo, n'y arrive pas, renouvelle ses efforts, trébuche dans les bagages, tombe, essaie de se relever, n'y arrive pas.

Estragon. — Qu'est-ce que vous avez tous?

VLADIMIR. — Au secours!

ESTRAGON. — Je m'en vais.

VLADIMIR. — Ne m'abandonne pas! Ils me tueront!

POZZO. — Où suis-je?

VLADIMIR. — Gogo!

POZZO. — A moi!

VLADIMIR. — Aide-moi!

ESTRAGON. — Moi je m'en vais.

VLADIMIR. — Aide-moi d'abord. Puis nous partirons ensemble.

ESTRAGON. — Tu le promets?

VLADIMIR. — Je le jure!

ESTRAGON. — Et nous ne reviendrons jamais.

VLADIMIR. — Jamais!

ESTRAGON. — Nous irons dans l'Ariège.

VLADIMIR. — Où tu voudras.

POZZO. — Trois cents! Quatre cents!

ESTRAGON. — J'ai toujours voulu me balader dans l'Ariège.

VLADIMIR. — Tu t'y baladeras.

ESTRAGON. — Qui a pété?

VLADIMIR. — C'est Pozzo.

POZZO. — C'est moi! C'est moi! Pitié!

ESTRAGON. — C'est dégoûtant.

VLADIMIR. — Vite! Vite! Donne ta main!

ESTRAGON. — Je m'en vais. *(Un temps. Plus fort.)* Je m'en vais.

VLADIMIR. — Après tout, je finirai bien par me lever tout seul. *(Il essaie de se lever, retombe.)* Tôt ou tard.

ESTRAGON. — Qu'est-ce que tu as?

VLADIMIR. — Fous le camp.

ESTRAGON. — Tu restes là?

VLADIMIR. — Pour le moment.

ESTRAGON. — Lève-toi, voyons, tu vas attraper froid.

VLADIMIR. — Ne t'occupe pas de moi.

ESTRAGON. — Voyons, Didi, ne sois pas têtu. *(Il tend la main vers Vladimir qui s'empresse de s'en saisir.)* Allez, debout!

VLADIMIR. — Tire!

Estragon tire, trébuche, tombe. Long silence.

POZZO. — A moi!

VLADIMIR. — Nous sommes là.

POZZO. — Qui êtes-vous?

VLADIMIR. — Nous sommes des hommes.

Silence.

ESTRAGON. — Ce qu'on est bien, par terre!

VLADIMIR. — Peux-tu te lever?

ESTRAGON. — Je ne sais pas.

VLADIMIR. — Essaie.

ESTRAGON. — Tout à l'heure, tout à l'heure.

Silence.

Pozzo. — Qu'est-ce qui s'est passé?

Vladimir *(avec force)*. — Veux-tu te taire, toi, à la fin! Quel choléra, quand même! Il ne pense qu'à lui.

Estragon. — Si on essayait de dormir?

Vladimir. — Tu l'as entendu? Il veut savoir ce qui s'est passé!

Estragon. — Laisse-le. Dors.

Silence.

Pozzo. — Pitié! Pitié!

Estragon *(sursautant)*. — Quoi? Qu'est-ce qu'il y a?

Vladimir. — Tu dormais?

Estragon. — Je crois.

Vladimir. — C'est encore ce salaud de Pozzo!

Estragon. — Dis-lui de la boucler! Casse-lui la gueule!

Vladimir *(donnant des coups à Pozzo)*. — As-tu fini? Veux-tu te taire? Vermine! *(Pozzo se dégage en poussant des cris de douleur et s'éloigne en rampant. De temps en temps, il s'arrête, scie l'air avec des gestes d'aveugle, en appelant Lucky. Vladimir, s'appuyant sur le coude, le suit des yeux.)* Il s'est sauvé! *(Pozzo s'effondre. Silence.)* Il est tombé!

Silence.

Estragon. — Qu'est-ce qu'on fait maintenant?

Vladimir. — Si je pouvais ramper jusqu'à lui.

ESTRAGON. — Ne me quitte pas!

VLADIMIR. — Si je l'appelais?

ESTRAGON. — C'est ça, appelle-le.

VLADIMIR. — Pozzo! *(Un temps.)* Pozzo! *(Un temps.)* Il ne répond plus.

ESTRAGON. — Ensemble.

VLADIMIR, ESTRAGON. — Pozzo! Pozzo!

VLADIMIR. — Il a bougé.

ESTRAGON. — Tu es sûr qu'il s'appelle Pozzo?

VLADIMIR *(angoissé).* — Monsieur Pozzo! Reviens! On ne te fera pas de mal!

Silence.

ESTRAGON. — Si on essayait avec d'autres noms?

VLADIMIR. — J'ai peur qu'il ne soit sérieusement touché.

ESTRAGON. — Ce serait amusant.

VLADIMIR. — Qu'est-ce qui serait amusant?

ESTRAGON. — D'essayer avec d'autres noms, l'un après l'autre. Ça passerait le temps. On finirait bien par tomber sur le bon.

VLADIMIR. — Je te dis qu'il s'appelle Pozzo.

ESTRAGON. — C'est ce que nous allons voir. Voyons. *(Il réfléchit.)* Abel! Abel!

POZZO. — A moi!

ESTRAGON. — Tu vois!

VLADIMIR. — Je commence à en avoir assez de ce motif.

ESTRAGON. — Peut-être que l'autre s'appelle
Caïn. *(Il appelle.)* Caïn! Caïn!

POZZO. — A moi!

ESTRAGON. — C'est toute l'humanité. *(Silence.)*
Regarde-moi ce petit nuage.

VLADIMIR *(levant les yeux).* — Où?

ESTRAGON. — Là, au zénith.

VLADIMIR. — Eh bien? *(Un temps.)* Qu'est-ce
qu'il a de si extraordinaire?

Silence.

ESTRAGON. — Passons maintenant à autre chose,
veux-tu?

VLADIMIR. — J'allais justement te le proposer.

ESTRAGON. — Mais à quoi?

VLADIMIR. — Ah, voilà!

Silence.

ESTRAGON. — Si on se levait, pour commencer?

VLADIMIR. — Essayons toujours.

Ils se lèvent.

ESTRAGON. — Pas plus difficile que ça.

VLADIMIR. — Vouloir, tout est là.

ESTRAGON. — Et maintenant?

POZZO. — Au secours!

ESTRAGON. — Allons-nous-en.

VLADIMIR. — On ne peut pas.

ESTRAGON. — Pourquoi?

VLADIMIR. — On attend Godot.

ESTRAGON. — C'est vrai. *(Un temps.)* Que faire?

POZZO. — Au secours!

VLADIMIR. — Si on le secourait?

ESTRAGON. — Qu'est-ce qu'il faut faire?

VLADIMIR. — Il veut se lever.

ESTRAGON. — Et après?

VLADIMIR. — Il veut qu'on l'aide à se lever.

ESTRAGON. — Eh bien, aidons-le. Qu'est-ce qu'on attend?

Ils aident Pozzo à se lever, s'écartent de lui. Il retombe.

VLADIMIR. — Il faut le soutenir. *(Même jeu. Pozzo reste debout entre les deux, pendu à leur cou.)* Il faut qu'il se réhabitue à la station debout. *(A Pozzo.)* Ça va mieux?

POZZO. — Qui êtes-vous?

VLADIMIR. — Vous ne nous remettez pas?

POZZO. — Je suis aveugle.

Silence.

ESTRAGON. — Peut-être qu'il voit clair dans l'avenir?

VLADIMIR *(à Pozzo)*. — Depuis quand?

POZZO. — J'avais une très bonne vue — mais êtes-vous des amis?

ESTRAGON *(riant bruyamment)*. — Il demande si nous sommes des amis!

VLADIMIR. — Non, il veut dire des amis à lui.
ESTRAGON. — Et alors?
VLADIMIR. — La preuve, c'est que nous l'avons aidé.
ESTRAGON. — Voilà! Est-ce que nous l'aurions aidé si nous n'étions pas ses amis?
VLADIMIR. — Peut-être.
ESTRAGON. — Évidemment.
VLADIMIR. — N'ergotons pas là-dessus.
POZZO. — Vous n'êtes pas des brigands?
ESTRAGON. — Des brigands! Est-ce qu'on a l'air de brigands?
VLADIMIR. — Voyons! Il est aveugle.
ESTRAGON. — Flûte! C'est vrai. *(Un temps.)* Qu'il dit.
POZZO. — Ne me quittez pas.
VLADIMIR. — Il n'en est pas question.
ESTRAGON. — Pour l'instant.
POZZO. — Quelle heure est-il?
ESTRAGON *(inspectant le ciel).* — Voyons...
VLADIMIR. — Sept heures... Huit heures...
ESTRAGON. — Ça dépend de la saison.
POZZO. — C'est le soir?

Silence. Vladimir et Estragon regardent le couchant.

ESTRAGON. — On dirait qu'il remonte.
VLADIMIR. — Ce n'est pas possible.
ESTRAGON. — Si c'était l'aurore?

VLADIMIR. — Ne dis pas de bêtises. C'est l'ouest, par là.

ESTRAGON. — Qu'est-ce que tu en sais?

POZZO *(avec angoisse)*. — Sommes-nous au soir?

VLADIMIR. — D'ailleurs, il n'a pas bougé.

ESTRAGON. — Je te dis qu'il remonte.

POZZO. — Pourquoi ne répondez-vous pas?

ESTRAGON. — C'est qu'on ne voudrait pas vous dire une connerie.

VLADIMIR *(rassurant)*. — C'est le soir, monsieur, nous sommes arrivés au soir. Mon ami essaie de m'en faire douter et je dois avouer que j'ai été ébranlé pendant un instant. Mais ce n'est pas pour rien que j'ai vécu cette longue journée et je peux vous assurer qu'elle est presque au bout de son répertoire. *(Un temps.)* A part ça, comment vous sentez-vous?

ESTRAGON. — Combien de temps va-t-il falloir le charrier encore? *(Ils le lâchent à moitié, le reprennent en voyant qu'il va retomber.)* On n'est pas des cariatides.

VLADIMIR. — Vous disiez que vous aviez une bonne vue, autrefois, si j'ai bien entendu?

POZZO. — Oui, elle était bien bonne.

Silence.

ESTRAGON *(avec irritation)*. — Développez! Développez!

125

VLADIMIR. — Laisse-le tranquille. Ne vois-tu pas qu'il est en train de se rappeler son bonheur. *(Un temps.)* Memoria praeteritorum bonorum — ça doit être pénible.

POZZO. — Oui, bien bonne.

VLADIMIR. — Et cela vous a pris tout d'un coup?

POZZO. — Bien bonne.

VLADIMIR. — Je vous demande si cela vous a pris tout d'un coup.

POZZO. — Un beau jour je me suis réveillé, aveugle comme le destin. *(Un temps.)* Je me demande parfois si je ne dors pas encore.

VLADIMIR. — Quand ça?

POZZO. — Je ne sais pas.

VLADIMIR. — Mais pas plus tard qu'hier...

POZZO. — Ne me questionnez pas. Les aveugles n'ont pas la notion du temps. *(Un temps.)* Les choses du temps, ils ne les voient pas non plus.

VLADIMIR. — Tiens! J'aurais juré le contraire.

ESTRAGON. — Je m'en vais.

POZZO. — Où sommes-nous?

VLADIMIR. — Je ne sais pas.

POZZO. — Ne serait-on pas au lieudit la Planche?

VLADIMIR. — Je ne connais pas.

POZZO. — A quoi est-ce que ça ressemble?

VLADIMIR *(regard circulaire)*. — On ne peut pas le décrire. Ça ne ressemble à rien. Il n'y a rien. Il y a un arbre.

Pozzo. — Alors ce n'est pas la Planche.

Estragon *(ployant)*. — Tu parles d'une diversion.

Pozzo. — Où est mon domestique?

Vladimir. — Il est là.

Pozzo. — Pourquoi ne répond-il pas quand je l'appelle?

Vladimir. — Je ne sais pas. Il semble dormir. Il est peut-être mort.

Pozzo. — Que s'est-il passé, au juste?

Estragon. — Au juste!

Vladimir. — Vous êtes tombés tous les deux.

Pozzo. — Allez voir s'il est blessé.

Vladimir. — Mais on ne peut pas vous quitter.

Pozzo. — Vous n'avez pas besoin d'y aller tous les deux.

Vladimir *(à Estragon)*. — Vas-y, toi.

Pozzo. — C'est ça, que votre ami y aille. Il sent si mauvais. *(Un temps.)* Qu'est-ce qu'il attend?

Vladimir *(à Estragon)*. — Qu'est-ce que tu attends?

Estragon. — J'attends Godot.

Vladimir. — Qu'est-ce qu'il doit faire au juste?

Pozzo. — Eh bien, qu'il tire d'abord sur la corde, en faisant attention naturellement de ne pas l'étrangler. En général, ça le fait réagir. Sinon, qu'il lui donne des coups de pied, dans le bas-ventre et au visage autant que possible.

VLADIMIR *(à Estragon)*. — Tu vois, tu n'as rien à craindre. C'est même une occasion de te venger.
ESTRAGON. — Et s'il se défend?
POZZO. — Non, non il ne se défend jamais.
VLADIMIR. — Je volerai à ton secours.
ESTRAGON. — Ne me quitte pas des yeux!

Il va vers Lucky.

VLADIMIR. — Regarde s'il est vivant d'abord. Pas la peine de lui taper dessus s'il est mort.
ESTRAGON *(s'étant penché sur Lucky)*. — Il respire.
VLADIMIR. — Alors vas-y.

Subitement déchaîné, Estragon bourre Lucky de coups de pied, en hurlant. Mais il se fait mal au pied et s'éloigne en boitant et en gémissant. Lucky reprend ses sens.

ESTRAGON *(s'arrêtant sur une jambe)*. — Oh, la vache!

Estragon s'assied, essaie d'enlever ses chaussures. Mais bientôt il y renoncera, se disposera en chien de fusil, la tête entre les jambes, les bras devant la tête.

POZZO. — Que s'est-il passé encore?
VLADIMIR. — Mon ami s'est fait mal.
POZZO. — Et Lucky?
VLADIMIR. — Alors c'est bien lui?

Pozzo. — Comment?

Vladimir. — C'est bien Lucky?

Pozzo. — Je ne comprends pas.

Vladimir. — Et vous, vous êtes Pozzo ?

Pozzo. — Certainement, je suis Pozzo.

Vladimir. — Les mêmes qu'hier?

Pozzo. — Qu'hier?

Vladimir. — On s'est vus hier. *(Silence.)* Vous ne vous rappelez pas?

Pozzo. — Je ne me rappelle avoir rencontré personne hier. Mais demain je ne me rappellerai avoir rencontré personne aujourd'hui. Ne comptez donc pas sur moi pour vous renseigner. Et puis assez là-dessus. Debout!

Vladimir. — Vous l'emmeniez à Saint-Sauveur pour le vendre. Vous nous avez parlé. Il a dansé. Il a pensé. Vous voyiez clair.

Pozzo. — Si vous y tenez. Lâchez-moi, s'il vous plaît. *(Vladimir s'écarte.)* Debout!

Vladimir. — Il se lève.

Lucky se lève, ramasse les bagages.

Pozzo. — Il fait bien.

Vladimir. — Où allez-vous de ce pas?

Pozzo. — Je ne m'occupe pas de ça.

Vladimir. — Comme vous avez changé!

Lucky, chargé des bagages, vient se placer devant Pozzo.

129

9

Pozzo. — Fouet! *(Lucky dépose les bagages, cherche le fouet, le trouve, le donne à Pozzo, reprend les bagages.)* Corde!

Lucky dépose les bagages, met le bout de la corde dans la main de Pozzo, reprend les bagages.

Vladimir. — Qu'est-ce qu'il y a dans la valise?

Pozzo. — Du sable. *(Il tire sur la corde.)* En avant!

Lucky s'ébranle, Pozzo le suit.

Vladimir. — Ne partez pas encore.

Pozzo *(s'arrêtant)*. — Je pars.

Vladimir. — Que faites-vous quand vous tombez loin de tout secours?

Pozzo. — Nous attendons de pouvoir nous relever. Puis nous repartons.

Vladimir. — Avant de partir, dites-lui de chanter.

Pozzo. — A qui?

Vladimir. — A Lucky.

Pozzo. — De chanter?

Vladimir. — Oui. Ou de penser. Ou de réciter.

Pozzo. — Mais il est muet.

Vladimir. — Muet!

Pozzo. — Parfaitement. Il ne peut même pas gémir.

Vladimir. — Muet! Depuis quand?

Pozzo *(soudain furieux)*. — Vous n'avez pas fini de m'empoisonner avec vos histoires de temps? C'est insensé! Quand! Quand! Un jour, ça ne vous suffit pas, un jour pareil aux autres il est devenu muet, un jour je suis devenu aveugle, un jour nous deviendrons sourds, un jour nous sommes nés, un jour nous mourrons, le même jour, le même instant, ça ne vous suffit pas? *(Plus posément.)* Elles accouchent à cheval sur une tombe, le jour brille un instant, puis c'est la nuit à nouveau. *(Il tire sur la corde.)* En avant!

Ils sortent. Vladimir les suit jusqu'à la limite de la scène, les regarde s'éloigner. Un bruit de chute, appuyé par la mimique de Vladimir, annonce qu'ils sont tombés à nouveau. Silence. Vladimir va vers Estragon qui dort, le contemple un moment, puis le réveille.

Estragon *(gestes affolés, paroles incohérentes. Finalement)*. — Pourquoi tu ne me laisses jamais dormir?

Vladimir. — Je me sentais seul.

Estragon. — Je rêvais que j'étais heureux.

Vladimir. — Ça a fait passer le temps.

Estragon. — Je rêvais que...

Vladimir. — Tais-toi! *(Silence.)* Je me demande s'il est vraiment aveugle.

Estragon. — Qui?

VLADIMIR. — Un vrai aveugle dirait-il qu'il n'a pas la notion du temps?

ESTRAGON. — Qui?

VLADIMIR. — Pozzo.

ESTRAGON. — Il est aveugle?

VLADIMIR. — Il nous l'a dit.

ESTRAGON. — Et alors?

VLADIMIR. — Il m'a semblé qu'il nous voyait.

ESTRAGON. — Tu l'as rêvé. *(Un temps.)* Allons-nous-en. On ne peut pas. C'est vrai. *(Un temps.)* Tu es sûr que ce n'était pas lui?

VLADIMIR. — Qui?

ESTRAGON. — Godot?

VLADIMIR. — Mais qui?

ESTRAGON. — Pozzo.

VLADIMIR. — Mais non! Mais non! *(Un temps.)* Mais non.

ESTRAGON. — Je vais quand même me lever. *(Se lève péniblement.)* Aïe!

VLADIMIR. — Je ne sais plus quoi penser.

ESTRAGON. — Mes pieds! *(Il se rassied, essaie de se déchausser.)* Aide-moi!

VLADIMIR. — Est-ce que j'ai dormi, pendant que les autres souffraient? Est-ce que je dors en ce moment? Demain, quand je croirai me réveiller, que dirais-je de cette journée? Qu'avec Estragon mon ami, à cet endroit, jusqu'à la tombée de la nuit, j'ai attendu Godot? Que Pozzo est passé,

avec son porteur, et qu'il nous a parlé? Sans doute.
Mais dans tout cela qu'y aura-t-il de vrai? *(Estragon, s'étant acharné en vain sur ses chaussures, s'est
assoupi à nouveau. Vladimir le regarde.)* Lui ne
saura rien. Il parlera des coups qu'il a reçus et je
lui donnerai une carotte. *(Un temps.)* A cheval sur
une tombe et une naissance difficile. Du fond du
trou, rêveusement, le fossoyeur applique ses fers.
On a le temps de vieillir. L'air est plein de nos
cris. *(Il écoute.)* Mais l'habitude est une grande
sourdine. *(Il regarde Estragon.)* Moi aussi, un
autre me regarde, en se disant, Il dort, il ne sait
pas, qu'il dorme. *(Un temps.)* Je ne peux pas continuer. *(Un temps.)* Qu'est-ce que j'ai dit?

*Il va et vient avec agitation, s'arrête finalement
près de la coulisse gauche, regarde au loin. Entre à
droite le garçon de la veille. Il s'arrête. Silence.*

GARÇON. — Monsieur... *(Vladimir se retourne.)*
Monsieur Albert...
VLADIMIR. — Reprenons. *(Un temps. Au gar-
çon.)* Tu ne me reconnais pas?
GARÇON. — Non, monsieur.
VLADIMIR. — C'est toi qui est venu hier?
GARÇON. — Non, monsieur.
VLADIMIR. — C'est la première fois que tu viens?
GARÇON. — Oui, monsieur.

Silence.

VLADIMIR. — C'est de la part de monsieur Godot?

GARÇON. — Oui, monsieur.

VLADIMIR. — Il ne viendra pas ce soir.

GARÇON. — Non, monsieur.

VLADIMIR. — Mais il viendra demain.

GARÇON. — Oui, monsieur.

VLADIMIR. — Sûrement.

GARÇON. — Oui, monsieur.

Silence.

VLADIMIR. — Est-ce que tu as rencontré quelqu'un?

GARÇON. — Non, monsieur.

VLADIMIR. — Deux autres *(il hésite)* ...hommes.

GARÇON. — Je n'ai vu personne, monsieur.

Silence.

VLADIMIR. — Qu'est-ce qu'il fait, monsieur Godot? *(Un temps.)* Tu entends?

GARÇON. — Oui, monsieur.

VLADIMIR. — Et alors?

GARÇON. — Il ne fait rien, monsieur.

Silence.

VLADIMIR. — Comment va ton frère?

GARÇON. — Il est malade, monsieur.

VLADIMIR. — C'est peut-être lui qui est venu hier.

GARÇON. — Je ne sais pas, monsieur.

Silence.

VLADIMIR. — Il a une barbe, monsieur Godot?

GARÇON. — Oui, monsieur.

VLADIMIR. — Blonde ou... *(il hésite)* ...ou noire?

GARÇON *(hésitant)*. — Je crois qu'elle est blanche, monsieur.

Silence.

VLADIMIR. — Miséricorde.

Silence.

GARÇON. — Qu'est-ce que je dois dire à monsieur Godot, monsieur?

VLADIMIR. — Tu lui diras — *(il s'interrompt)* — tu lui diras que tu m'as vu et que — *(il réfléchit)* — que tu m'as vu. *(Un temps. Vladimir s'avance, le garçon recule, Vladimir s'arrête, le garçon s'arrête.)* Dis, tu es bien sûr de m'avoir vu, tu ne vas pas me dire demain que tu ne m'as jamais vu?

Silence. Vladimir fait un soudain bond en avant, le garçon se sauve comme une flèche. Silence. Le soleil se couche, la lune se lève. Vladimir reste immobile. Estragon se réveille, se déchausse, se lève, les chaussures à la main, les dépose devant la rampe, va vers Vladimir, le regarde.

ESTRAGON. — Qu'est-ce que tu as?

VLADIMIR. — Je n'ai rien.

ESTRAGON. — Moi je m'en vais.

VLADIMIR. — Moi aussi.

Silence.

ESTRAGON. — Il y avait longtemps que je dormais?

VLADIMIR. — Je ne sais pas.

Silence.

ESTRAGON. — Où irons-nous?

VLADIMIR. — Pas loin.

ESTRAGON. — Si si, allons-nous-en loin d'ici!

VLADIMIR. — On ne peut pas.

ESTRAGON. — Pourquoi?

VLADIMIR. — Il faut revenir demain.

ESTRAGON. — Pour quoi faire?

VLADIMIR. — Attendre Godot.

ESTRAGON. — C'est vrai. *(Un temps.)* Il n'est pas venu?

VLADIMIR. — Non.

ESTRAGON. — Et maintenant il est trop tard.

VLADIMIR. — Oui, c'est la nuit.

ESTRAGON. — Et si on le laissait tomber? *(Un temps.)* Si on le laissait tomber?

VLADIMIR. — Il nous punirait. *(Silence. Il regarde l'arbre.)* Seul l'arbre vit.

ESTRAGON *(regardant l'arbre).* — Qu'est-ce que c'est?

VLADIMIR. — C'est l'arbre.

ESTRAGON. — Non, mais quel genre?

VLADIMIR. — Je ne sais pas. Un saule.

ESTRAGON. — Viens voir. *(Il entraîne Vladimir*

vers l'arbre. Ils s'immobilisent devant. Silence.) Et si on se pendait?

VLADIMIR. — Avec quoi?

ESTRAGON. — Tu n'as pas un bout de corde?

VLADIMIR. — Non.

ESTRAGON. — Alors on ne peut pas.

VLADIMIR. — Allons-nous-en.

ESTRAGON. — Attends, il y a ma ceinture.

VLADIMIR. — C'est trop court.

ESTRAGON. — Tu tireras sur mes jambes.

VLADIMIR. — Et qui tirera sur les miennes?

ESTRAGON. — C'est vrai.

VLADIMIR. — Fais voir quand même. *(Estragon dénoue la corde qui maintient son pantalon. Celui-ci, beaucoup trop large, lui tombe autour des chevilles. Ils regardent la corde.)* A la rigueur ça pourrait aller. Mais est-elle solide?

ESTRAGON. — On va voir. Tiens.

Ils prennent chacun un bout de la corde et tirent. La corde se casse. Ils manquent de tomber.

VLADIMIR. — Elle ne vaut rien.

Silence.

ESTRAGON. — Tu dis qu'il faut revenir demain?

VLADIMIR. — Oui.

ESTRAGON. — Alors on apportera une bonne corde.

VLADIMIR. — C'est ça.

Silence.

ESTRAGON. — Didi.

VLADIMIR. — Oui.

ESTRAGON. — Je ne peux plus continuer comme ça.

VLADIMIR. — On dit ça.

ESTRAGON. — Si on se quittait? Ça irait peut-être mieux.

VLADIMIR. — On se pendra demain. *(Un temps.)* A moins que Godot ne vienne.

ESTRAGON. — Et s'il vient?

VLADIMIR. — Nous serons sauvés.

Vladimir enlève son chapeau — celui de Lucky —, regarde dedans, y passe la main, le secoue, le remet.

ESTRAGON. — Alors, on y va?

VLADIMIR. — Relève ton pantalon.

ESTRAGON. — Comment?

VLADIMIR. — Relève ton pantalon.

ESTRAGON. — Que j'enlève mon pantalon?

VLADIMIR. — RE-lève ton pantalon.

ESTRAGON. — C'est vrai.

Il relève son pantalon. Silence.

VLADIMIR. — Alors, on y va?

ESTRAGON. — Allons-y.

Ils ne bougent pas.

RIDEAU

FIN DE PARTIE

Pour Roger Blin

Fin de Partie *a été créée en français le 1er avril 1957 au* Royal Court Theatre, *à Londres, avec la distribution suivante :*

Nagg . . . . Georges Adet.
Nell . . . . Christine Tsingos.
Hamm. Roger Blin.
Clov . . . . Jean Martin.

La pièce a été reprise le même mois au Studio des Champs Élysées, *à Paris, avec la même distribution, à cette seule exception près que le rôle de Nell était alors tenu par Germaine de France.*

Intérieur sans meubles.
Lumière grisâtre.
Aux murs de droite et de gauche, vers le fond,
deux petites fenêtres haut perchées, rideaux fermés.
Porte à l'avant-scène à droite. Accroché au mur,
près de la porte, un tableau retourné.
A l'avant-scène à gauche, recouvertes d'un vieux
drap, deux poubelles l'une contre l'autre.
Au centre, recouvert d'un vieux drap, assis dans
un fauteuil à roulettes, Hamm.
Immobile à côté du fauteuil, Clov le regarde.
Il va se mettre sous la fenêtre à gauche. Démarche
raide et vacillante. Il regarde la fenêtre à gauche,
la tête rejetée en arrière. Il tourne la tête, regarde la
fenêtre à droite. Il va se mettre sous la fenêtre à
droite. Il regarde la fenêtre à droite, la tête rejetée
en arrière. Il tourne la tête et regarde la fenêtre à
gauche. Il sort, revient aussitôt avec un escabeau,
l'installe sous la fenêtre à gauche, monte dessus, tire
le rideau. Il descend de l'escabeau, fait six pas vers
la fenêtre à droite, retourne prendre l'escabeau, l'ins-
talle sous la fenêtre à droite, monte dessus, tire le

rideau. Il descend de l'escabeau, fait trois pas vers la fenêtre à gauche, retourne prendre l'escabeau, l'installe sous la fenêtre à gauche, monte dessus, regarde par la fenêtre. Rire bref. Il descend de l'escabeau, fait un pas vers la fenêtre à droite, retoune prendre l'escabeau, l'installe sous la fenêtre à droite, monte dessus, regarde par la fenêtre. Rire bref. Il descend de l'escabeau, va vers les poubelles, retourne prendre l'escabeau, le prend, se ravise, le lâche, va aux poubelles, enlève le drap qui les recouvre, le plie soigneusement et le met sur le bras. Il soulève un couvercle, se penche et regarde dans la poubelle. Rire bref. Il rabat le couvercle. Même jeu avec l'autre poubelle. Il va vers Hamm, enlève le drap qui le recouvre, le plie soigneusement et le met sur le bras. En robe de chambre, coiffé d'une calotte en feutre, un grand mouchoir taché de sang étalé sur le visage, un sifflet pendu au cou, un plaid sur les genoux, d'épaisses chaussettes aux pieds, Hamm semble dormir. Clov le regarde. Rire bref. Il va à la porte, s'arrête, se retourne, contemple la scène, se tourne vers la salle.

Clov (*regard fixe, voix blanche*). — Fini, c'est fini, ça va finir, ça va peut-être finir. (*Un temps.*) Les grains s'ajoutent aux grains, un à un, et un jour, soudain, c'est un tas, un petit tas, l'impossible tas. (*Un temps.*) On ne peut plus me punir. (*Un temps.*) Je m'en vais dans ma cuisine, trois

mètres sur trois mètres sur trois mètres, attendre qu'il me siffle. *(Un temps)*. Ce sont de jolies dimensions, je m'appuierai à la table, je regarderai le mur, en attendant qu'il me siffle.

Il reste un moment immobile. Puis il sort. Il revient aussitôt, va prendre l'escabeau, sort en emportant l'escabeau. Un temps. Hamm bouge. Il bâille sous le mouchoir. Il ôte le mouchoir de son visage. Lunettes noires.

HAMM. — A — *(bâillements)* — à moi. *(Un temps.)* De jouer. *(Il tient à bout de bras le mouchoir ouvert devant lui.)* Vieux linge! *(Il ôte ses lunettes, s'essuie les yeux, le visage, essuie les lunettes, les remet, plie soigneusement le mouchoir et le met délicatement dans la poche du haut de sa robe de chambre. Il s'éclaircit la gorge, joint les bouts des doigts.)* Peut-il y a — *(bâillements)* — y avoir misère plus... plus haute que la mienne? Sans doute. Autrefois. Mais aujourd'hui? *(Un temps.)* Mon père? *(Un temps.)* Ma mère? *(Un temps.)* Mon... chien? *(Un temps.)* Oh je veux bien qu'ils souffrent autant que de tels êtres peuvent souffrir. Mais est-ce dire que nos souffrances se valent? Sans doute. *(Un temps.)* Non, tout est a — *(bâillements)* — bsolu, *(fier)* plus on est grand et plus on est plein. *(Un temps. Morne.)* Et plus on est vide. *(Il renifle.)* Clov! *(Un temps.)* Non, je suis

145

seul. *(Un temps.)* Quels rêves — avec un s! Ces forêts! *(Un temps.)* Assez, il est temps que cela finisse, dans le refuge aussi. *(Un temps.)* Et cependant j'hésite, j'hésite à... à finir. Oui, c'est bien ça, il est temps que cela finisse et cependant j'hésite encore à — *(bâillements)* — à finir. *(Bâillements.)* Oh là là, qu'est-ce que je tiens, je ferais mieux d'aller me coucher. *(Il donne un coup de sifflet. Entre Clov aussitôt. Il s'arrête à côté du fauteuil.)* Tu empestes l'air! *(Un temps.)* Prépare-moi, je vais me coucher.

CLOV. — Je viens de te lever.

HAMM. — Et après?

CLOV. — Je ne peux pas te lever et te coucher toutes les cinq minutes, j'ai à faire.

Un temps.

HAMM. — Tu n'as jamais vu mes yeux?

CLOV. — Non.

HAMM. — Tu n'as jamais eu la curiosité, pendant que je dormais, d'enlever mes lunettes et de regarder mes yeux?

CLOV. — En soulevant les paupières? *(Un temps.)* Non.

HAMM. — Un jour je te les montrerai. *(Un temps.)* Il paraît qu'ils sont tout blancs. *(Un temps.)* Quelle heure est-il?

CLOV. — La même que d'habitude.

HAMM. — Tu as regardé?

CLOV. — Oui.

HAMM. — Et alors?

CLOV. — Zéro.

HAMM. — Il faudrait qu'il pleuve.

CLOV. — Il ne pleuvra pas.

Un temps.

HAMM. — A part ça, ça va?

CLOV. — Je ne me plains pas.

HAMM. — Tu te sens dans ton état normal?

CLOV *(agacé).* — Je te dis que je ne me plains pas.

HAMM. — Moi je me sens un peu drôle. *(Un temps.)* Clov.

CLOV. — Oui.

HAMM. — Tu n'en as pas assez?

CLOV. — Si! *(Un temps.)* De quoi?

HAMM. — De ce... de cette... chose.

CLOV. — Mais depuis toujours. *(Un temps.)* Toi non?

HAMM *(morne).* — Alors il n'y a pas de raison pour que ça change.

CLOV. — Ça peut finir. *(Un temps.)* Toute la vie les mêmes questions, les mêmes réponses.

HAMM. — Prépare-moi. *(Clov ne bouge pas.)* Va chercher le drap. *(Clov ne bouge pas.)* Clov.

CLOV. — Oui.

HAMM. — Je ne te donnerai plus rien à manger.

CLOV. — Alors nous mourrons.

HAMM. — Je te donnerai juste assez pour t'empêcher de mourir. Tu auras tout le temps faim.

CLOV. — Alors nous ne mourrons pas. *(Un temps.)* Je vais chercher le drap.

Il va vers la porte.

HAMM. — Pas la peine. *(Clov s'arrête.)* Je te donnerai un biscuit par jour. *(Un temps.)* Un biscuit et demi. *(Un temps.)* Pourquoi restes-tu avec moi?

CLOV. — Pourquoi me gardes-tu?

HAMM. — Il n'y a personne d'autre.

CLOV. — Il n'y a pas d'autre place.

Un temps.

HAMM. — Tu me quittes quand même.

CLOV. — J'essaie.

HAMM. — Tu ne m'aimes pas.

CLOV. — Non.

HAMM. — Autrefois tu m'aimais.

CLOV. — Autrefois!

HAMM. — Je t'ai trop fait souffrir. *(Un temps.)* N'est-ce pas?

CLOV. — Ce n'est pas ça.

HAMM *(outré)*. — Je ne t'ai pas trop fait souffrir?

CLOV. — Si.

HAMM *(soulagé)*. — Ah! Quand même! *(Un*

148

temps. Froidement.) Pardon. *(Un temps. Plus fort.)*
J'ai dit, Pardon.

CLOV. — Je t'entends. *(Un temps.)* Tu as saigné?

HAMM. — Moins. *(Un temps.)* Ce n'est pas
l'heure de mon calmant?

CLOV. — Non.

Un temps.

HAMM. — Comment vont tes yeux?

CLOV. — Mal.

HAMM. — Comment vont tes jambes?

CLOV. — Mal.

HAMM. — Mais tu peux bouger.

CLOV. — Oui.

HAMM *(avec violence).* — Alors bouge! *(Clov
va jusqu'au mur du fond, s'y appuie du front et des
mains.)* Où es-tu?

CLOV. — Là.

HAMM. — Reviens! *(Clov retourne à sa place
à côté du fauteuil.)* Où es-tu?

CLOV. — Là.

HAMM. — Pourquoi ne me tues-tu pas?

CLOV. — Je ne connais pas la combinaison du
buffet.

Un temps.

HAMM. — Va me chercher deux roues de bicyclette.

CLOV. — Il n'y a plus de roues de bicyclette.

149

HAMM. — Qu'est-ce que tu as fait de ta bicy-clette?

CLOV. — Je n'ai jamais eu de bicyclette.

HAMM. — La chose est impossible.

CLOV. — Quand il y avait encore des bicylettes j'ai pleuré pour en avoir une. Je me suis traîné à tes pieds. Tu m'as envoyé promener. Maintenant il n'y en a plus.

HAMM. — Et tes courses alors? Quand tu allais voir mes pauvres. Toujours à pied?

CLOV. — Quelquefois à cheval. *(Le couvercle d'une des poubelles se soulève et les mains de Nagg apparaissent, accrochées au rebord. Puis la tête émerge, coiffée d'un bonnet de nuit. Teint très blanc. Nagg bâille, puis écoute.)* Je te quitte, j'ai à faire.

HAMM. — Dans ta cuisine?

CLOV. — Oui.

HAMM. — Hors d'ici, c'est la mort. *(Un temps.)* Bon, va-t'en. *(Clov sort. Un temps.)* Ça avance.

NAGG. — Ma bouillie!

HAMM. — Maudit progéniteur!

NAGG. — Ma bouillie!

HAMM. — Ah il n'y a plus de vieux! Bouffer, bouffer, ils ne pensent qu'à ça! *(Il siffle. Entre Clov. Il s'arrête à côté du fauteuil.)* Tiens! Je croyais que tu allais me quitter.

CLOV. — Oh pas encore, pas encore.

NAGG. — Ma bouillie!

HAMM. — Donne-lui sa bouillie.

CLOV. — Il n'y a plus de bouillie.

HAMM *(à Nagg)*. — Il n'y a plus de bouillie. Tu n'auras jamais plus de bouillie.

NAGG. — Je veux ma bouillie!

HAMM. — Donne-lui un biscuit. *(Clov sort.)* Maudit fornicateur! Comment vont tes moignons?

NAGG. — T'occupe pas de mes moignons.

> *Entre Clov, un biscuit à la main.*

CLOV. — Je suis de retour, avec le biscuit.

Il met le biscuit dans la main de Nagg qui le prend, le palpe, le renifle.

NAGG *(geignard)*. — Qu'est-ce que c'est?

CLOV. — C'est le biscuit classique.

NAGG *(de même)*. — C'est dur! Je ne peux pas!

HAMM. — Boucle-le!

Clov enfonce Nagg dans la poubelle, rabat le couvercle.

CLOV *(retournant à sa place à côté du fauteuil)*. — Si vieillesse savait!

HAMM. — Assieds-toi dessus.

CLOV. — Je ne peux pas m'asseoir.

HAMM. — C'est juste. Et moi je ne peux pas me tenir debout.

CLOV. — C'est comme ça.

HAMM. — Chacun sa spécialité. *(Un temps.)*
Pas de coups de téléphone? *(Un temps.)* On ne rit
pas?

CLOV *(ayant réfléchi)*. — Je n'y tiens pas.

HAMM *(ayant réfléchi)*. — Moi non plus. *(Un temps.)* Clov.

CLOV. — Oui.

HAMM. — La nature nous a oubliés.

CLOV. — Il n'y a plus de nature.

HAMM. — Plus de nature! Tu vas fort.

CLOV. — Dans les environs.

HAMM. — Mais nous respirons, nous changeons!
Nous perdons nos cheveux, nos dents! Notre fraîcheur! Nos idéaux!

CLOV. — Alors elle ne nous a pas oubliés.

HAMM. — Mais tu dis qu'il n'y en a plus.

CLOV *(tristement)*. — Personne au monde n'a
jamais pensé aussi tordu que nous.

HAMM. — On fait ce qu'on peut.

CLOV. — On a tort.

Un temps.

HAMM. — Tu te crois un morceau, hein?

CLOV. — Mille.

Un temps.

HAMM. — Ça ne va pas vite. *(Un temps.)* Ce
n'est pas l'heure de mon calmant?

CLOV. — Non. *(Un temps.)* Je te quitte, j'ai à faire.

HAMM. — Dans ta cuisine?

CLOV. — Oui.

HAMM. — A faire quoi, je me le demande.

CLOV. — Je regarde le mur.

HAMM. — Le mur! Et qu'est-ce que tu y vois, sur ton mur? Mané, mané? Des corps nus?

CLOV. — Je vois ma lumière qui meurt.

HAMM. — Ta lumière qui —! Qu'est-ce qu'il faut entendre! Eh bien, elle mourra tout aussi bien ici, ta lumière. Regarde-moi un peu et tu m'en diras des nouvelles, de ta lumière.

Un temps.

CLOV. — Tu as tort de me parler comme ça.

Un temps.

HAMM *(froidement)*. — Pardon. *(Un temps. Plus fort.)* J'ai dit, Pardon.

CLOV. — Je t'entends.

Un temps. Le couvercle de la poubelle de Nagg se soulève. Les mains apparaissent, accrochées au rebord. Puis la tête émerge. Dans une main le biscuit. Nagg écoute.

HAMM. — Tes graines ont levé?

CLOV. — Non.

HAMM. — Tu as gratté un peu voir si elles ont germé?

CLOV. — Elles n'ont pas germé.

HAMM. — C'est peut-être encore trop tôt.

CLOV. — Si elles devaient germer elles auraient germé. Elles ne germeront jamais.

Un temps.

HAMM. — C'est moins gai que tantôt. *(Un temps.)* Mais c'est toujours comme ça en fin de journée, n'est-ce pas, Clov?

CLOV. — Toujours.

HAMM. — C'est une fin de journée comme les autres, n'est-ce pas, Clov?

CLOV. — On dirait.

Un temps.

HAMM *(avec angoisse).* — Mais qu'est-ce qui se passe, qu'est-ce qui se passe?

CLOV. — Quelque chose suit son cours.

Un temps.

HAMM. — Bon, va-t'en. *(Il renverse la tête contre le dossier du fauteuil, reste immobile. Clov ne bouge pas. Il pousse un grand soupir. Hamm se redresse.)* Je croyais que je t'avais dit de t'en aller.

CLOV. — J'essaie. *(Il va à la porte, s'arrête.)* Depuis ma naissance.

Il sort.

HAMM. — Ça avance.

Il renverse la tête contre le dossier du fauteuil, reste immobile. Nagg frappe sur le couvercle de l'autre poubelle. Un temps. Il frappe plus fort. Le couvercle se soulève, les mains de Nell apparaissent, accrochées au rebord, puis la tête émerge. Bonnet de dentelle. Teint très blanc.

NELL. — Qu'est-ce que c'est, mon gros? *(Un temps.)* C'est pour la bagatelle?

NAGG. — Tu dormais?

NELL. — Oh non!

NAGG. — Embrasse.

NELL. — On ne peut pas.

NAGG. — Essayons.

Les têtes avancent péniblement l'une vers l'autre, n'arrivent pas à se toucher, s'écartent.

NELL. — Pourquoi cette comédie, tous les jours?

Un temps.

NAGG. — J'ai perdu ma dent.

NELL. — Quand cela?

NAGG. — Je l'avais hier.

NELL *(élégiaque).* — Ah hier!

Ils se tournent péniblement l'un vers l'autre.

NAGG. — Tu me vois?

NELL. — Mal. Et toi?

155

NAGG. — Quoi?

NELL. — Tu me vois?

NAGG. — Mal.

NELL. — Tant mieux, tant mieux.

NAGG. — Ne dis pas ça. *(Un temps.)* Notre vue a baissé.

NELL. — Oui.

Un temps. Ils se détournent l'un de l'autre.

NAGG. — Tu m'entends?

NELL. — Oui. Et toi?

NAGG. — Oui. *(Un temps.)* Notre ouïe n'a pas baissé.

NELL. — Notre quoi?

NAGG. — Notre ouïe.

NELL. — Non. *(Un temps.)* As-tu autre chose à me dire?

NAGG. — Tu te rappelles...

NELL. — Non.

NAGG. — L'accident de tandem où nous laissâmes nos guibolles.

Ils rient.

NELL. — C'était dans les Ardennes.

Ils rient moins fort.

NAGG. — A la sortie de Sedan. *(Ils rient encore moins fort. Un temps.)* Tu as froid?

NELL. — Oui, très froid. Et toi?

Nagg. — Je gèle. *(Un temps.)* Tu veux rentrer?

Nell. — Oui.

Nagg. — Alors rentre. *(Nell ne bouge pas.)* Pourquoi ne rentres-tu pas?

Nell. — Je ne sais pas.

Un temps.

Nagg. — On a changé ta sciure?

Nell. — Ce n'est pas de la sciure. *(Un temps. Avec lassitude.)* Tu ne peux pas être un peu précis, Nagg?

Nagg. — Ton sable, alors. Quelle importance?

Nell. — C'est important.

Un temps.

Nagg. — Autrefois c'était de la sciure.

Nell. — Hé oui.

Nagg. — Et maintenant c'est du sable. *(Un temps.)* De la plage. *(Un temps. Plus fort.)* Maintenant c'est du sable qu'il va chercher à la plage.

Nell. — Hé oui.

Nagg. — Il te l'a changé?

Nell. — Non.

Nagg. — A moi non plus. *(Un temps.)* Il faut gueuler. *(Un temps. Montrant le biscuit.)* Tu veux un bout?

Nell. — Non. *(Un temps.)* De quoi?

Nagg. — De biscuit. Je t'en ai gardé la moitié. *(Il regarde le biscuit. Fier.)* Les trois quarts. Pour

toi. Tiens. *(Il lui tend le biscuit.)* Non? *(Un temps.)* Ça ne va pas?

HAMM *(avec lassitude)*. — Mais taisez-vous, taisez-vous, vous m'empêchez de dormir. *(Un temps.)* Parlez plus bas. *(Un temps.)* Si je dormais je ferais peut-être l'amour. J'irais dans les bois. Je verrais... le ciel, la terre. Je courrais. On me poursuivrait. Je m'enfuirais. *(Un temps.)* Nature! *(Un temps.)* Il y a une goutte d'eau dans ma tête. *(Un temps.)* Un cœur, un cœur dans ma tête.

Un temps.

NAGG *(bas)*. — Tu as entendu? Un cœur dans sa tête!

Il glousse précautionneusement.

NELL. — Il ne faut pas rire de ces choses, Nagg. Pourquoi en ris-tu toujours?

NAGG. — Pas si fort!

NELL *(sans baisser la voix.)*. — Rien n'est plus drôle que le malheur, je te l'accorde. Mais —

NAGG *(scandalisé)*. — Oh!

NELL. — Si, si, c'est la chose la plus comique au monde. Et nous en rions, nous en rions, de bon cœur, les premiers temps. Mais c'est toujours la même chose. Oui, c'est comme la bonne histoire qu'on nous raconte trop souvent, nous la trouvons toujours bonne, mais nous n'en rions plus. *(Un temps.)* As-tu autre chose à me dire?

NAGG. — Non.

NELL. — Réfléchis bien. *(Un temps.)* Alors je vais te laisser.

NAGG. — Tu ne veux pas ton biscuit? *(Un temps.)* Je te le garde. *(Un temps.)* Je croyais que tu allais me laisser.

NELL. — Je vais te laisser.

NAGG. — Tu peux me gratter d'abord?

NELL. — Non. *(Un temps.)* Où?

NAGG. — Dans le dos.

NELL. — Non. *(Un temps.)* Frotte-toi contre le rebord.

NAGG. — C'est plus bas. Dans le creux.

NELL. — Quel creux?

NAGG. — Le creux. *(Un temps.)* Tu ne peux pas? *(Un temps.)* Hier tu m'as gratté là.

NELL *(élégiaque).* — Ah hier!

NAGG. — Tu ne peux pas? *(Un temps.)* Tu ne veux pas que je te gratte, toi? *(Un temps.)* Tu pleures encore?

NELL. — J'essayais.

Un temps.

HAMM *(bas).* — C'est peut-être une petite veine.

Un temps.

NAGG. — Qu'est-ce qu'il a dit?

NELL. — C'est peut-être une petite veine.

159

NAGG. — Qu'est-ce que ça veut dire? *(Un temps.)* Ça ne veut rien dire. *(Un temps.)* Je vais te raconter l'histoire du tailleur.

NELL. — Pourquoi?

NAGG. — Pour te dérider.

NELL. — Elle n'est pas drôle.

NAGG. — Elle t'a toujours fait rire. *(Un temps.)* La première fois j'ai cru que tu allais mourir.

NELL. — C'était sur le lac de Côme. *(Un temps.)* Une après-midi d'avril. *(Un temps.)* Tu peux le croire?

NAGG. — Quoi?

NELL. — Que nous nous sommes promenés sur le lac de Côme. *(Un temps.)* Une après-midi d'avril.

NAGG. — On s'était fiancés la veille.

NELL. — Fiancés!

NAGG. — Tu as tellement ri que tu nous as fait chavirer. On aurait dû se noyer.

NELL. — C'était parce que je me sentais heureuse.

NAGG. — Mais non, mais non, c'était mon histoire. La preuve, tu en ris encore. A chaque fois.

NELL. — C'était profond, profond. Et on voyait le fond. Si blanc. Si net.

NAGG. — Écoute-la encore. *(Voix de raconteur.)* Un Anglais — *(il prend un visage d'Anglais, reprend le sien)* — ayant besoin d'un pantalon rayé en

vitesse pour les fêtes du Nouvel An se rend chez son tailleur qui lui prend ses mesures. *(Voix du tailleur.)* « Et voilà qui est fait, revenez dans quatre jours, il sera prêt. » Bon. Quatre jours plus tard. *(Voix du tailleur.)* « Sorry, revenez dans huit jours, j'ai raté le fond. » Bon, ça va, le fond, c'est pas commode. Huit jours plus tard. *(Voix du tailleur.)* « Désolé, revenez dans dix jours, j'ai salopé l'entre-jambes. » Bon, d'accord, l'entre-jambes, c'est délicat. Dix jours plus tard. *(Voix du tailleur.)* « Navré, revenez dans quinze jours, j'ai bousillé la braguette. » Bon, à la rigueur, une belle braguette, c'est calé. *(Un temps. Voix normale.)* Je la raconte mal. *(Un temps. Morne.)* Je raconte cette histoire de plus en plus mal. *(Un temps. Voix de raconteur.)* Enfin bref, de faufil en aiguille, voici Pâques Fleuries et il loupe les boutonnières. *(Visage, puis voix du client.)* « Goddam, sir, non, vraiment, c'est indécent, à la fin! En six jours, vous entendez, six jours, Dieu fit le monde. Oui monsieur, parfaitement monsieur, le MONDE ! Et vous, vous n'êtes pas foutu de me faire un pantalon en trois mois! » *(Voix du tailleur, scandalisée.)* « Mais milord! Mais milord! Regardez — *(geste méprisant, avec dégoût)* — le monde... *(un temps)*... et regardez — *(geste amoureux, avec orgueil)* — mon PANTALON ! »

Un temps. Il fixe Nell restée impassible, les yeux vagues, part d'un rire forcé et aigu, le coupe, avance la tête vers Nell, lance de nouveau son rire.

HAMM. — Assez!

Nagg sursaute, coupe son rire.

NELL. — On voyait le fond.

HAMM *(excédé)*. — Vous n'avez pas fini? Vous n'allez donc jamais finir? *(Soudain furieux.)* Ça ne va donc jamais finir! *(Nagg plonge dans la poubelle, rabat le couvercle. Nell ne bouge pas.)* Mais de quoi peuvent-ils parler, de quoi peut-on parler encore? *(Frénétique.)* Mon royaume pour un boueux! *(Il siffle. Entre Clov.)* Enlève-moi ces ordures! Fous-les à la mer!

Clov va aux poubelles, s'arrête.

NELL. — Si blanc.

HAMM. — Quoi? Qu'est-ce qu'elle raconte?

Clov se penche sur Nell, lui tâte le poignet.

NELL *(bas, à Clov)*. — Déserte.

Clov lui lâche le poignet, la fait rentrer dans la poubelle, rabat le couvercle, se redresse.

CLOV *(retournant à sa place à côté du fauteuil)*. — Elle n'a plus de pouls.

HAMM. — Oh pour ça elle est formidable, cette poudre. Qu'est-ce qu'elle a baragouiné?

CLOV. — Elle m'a dit de m'en aller, dans le désert.

HAMM. — De quoi je me mêle? C'est tout?

CLOV. — Non.

HAMM. — Et quoi encore?

CLOV. — Je n'ai pas compris.

HAMM. — Tu l'as bouclée?

CLOV. — Oui.

HAMM. — Ils sont bouclés tous les deux?

CLOV. — Oui.

HAMM. — On va condamner les couvercles. *(Clov va vers la porte.)* Ça ne presse pas. *(Clov s'arrête.)* Ma colère tombe, j'ai envie de faire pipi.

CLOV. — Je vais chercher le cathéter.

Il va vers la porte.

HAMM. — Ça ne presse pas. *(Clov s'arrête.)* Donne-moi mon calmant.

CLOV. — C'est trop tôt. *(Un temps.)* C'est trop tôt après ton remontant, il n'agirait pas.

HAMM. — Le matin on vous stimule et le soir on vous stupéfie. A moins que ce ne soit l'inverse. *(Un temps.)* Il est mort naturellement, ce vieux médecin?

CLOV. — Il n'était pas vieux.

HAMM. — Mais il est mort?

CLOV. — Naturellement. *(Un temps.)* C'est toi qui me demandes ça?

Un temps.

HAMM. — Fais-moi faire un petit tour. *(Clov se met derrière le fauteuil et le fait avancer.)* Pas trop vite! *(Clov fait avancer le fauteuil.)* Fais-moi faire le tour du monde! *(Clov fait avancer le fauteuil.)* Rase les murs. Puis ramène-moi au centre. *(Clov fait avancer le fauteuil.)* J'étais bien au centre, n'est-ce pas?

CLOV. — Oui.

HAMM. — Il nous faudrait un vrai fauteuil roulant. Avec de grandes roues. Des roues de bicyclette. *(Un temps.)* Tu rases?

CLOV. — Oui.

HAMM *(cherchant en tâtonnant le mur).* — Ce n'est pas vrai! Pourquoi me mens-tu?

CLOV *(serrant davantage le mur).* — Là, là.

HAMM. — Stop! *(Clov arrête le fauteuil tout près du mur du fond. Hamm pose la main contre le mur. Un temps.)* — Vieux mur! *(Un temps.)* Au-delà c'est... l'autre enfer. *(Un temps. Avec violence.)* Plus près! Plus près! Tout contre!

CLOV. — Enlève ta main. *(Hamm retire sa main. Clov colle le fauteuil contre le mur.)* Là.

Hamm se penche vers le mur, y colle l'oreille.

HAMM. — Tu entends? *(Il frappe le mur avec son doigt replié. Un temps.)* Tu entends? Des briques creuses. *(Il frappe encore.)* Tout ça c'est

creux! (*Un temps. Il se redresse. Avec violence.*)
Assez! On rentre.

CLOV. — On n'a pas fait le tour.

HAMM. — Ramène-moi à ma place. (*Clov ramène le fauteuil à sa place, l'arrête.*) C'est là ma place?

CLOV. — Oui, ta place est là.

HAMM. — Je suis bien au centre?

CLOV. — Je vais mesurer.

HAMM. — A peu près! A peu près!

CLOV (*déplaçant insensiblement le fauteuil*). — Là.

HAMM. — Je suis à peu près au centre?

CLOV. — Il me semble.

HAMM. — Il te semble! Mets-moi bien au centre!

CLOV. — Je vais chercher la chaîne.

HAMM. — A vue de nez! A vue de nez! (*Clov déplace insensiblement le fauteuil.*) Bien au centre!

CLOV. — Là.

Un temps.

HAMM. — Je me sens un peu trop sur la gauche. (*Clov déplace insensiblement le fauteuil. Un temps.*) Maintenant je me sens un peu trop sur la droite. (*Même jeu.*) Je me sens un peu trop en avant. (*Même jeu.*) Maintenant je me sens un peu trop en arrière. (*Même jeu.*) Ne reste pas là (*derrière le fauteuil*), tu me fais peur.

Clov retourne à sa place à côté du fauteuil.

CLOV. — Si je pouvais le tuer je mourrais content.

Un temps.

HAMM. — Quel temps fait-il?
CLOV. — Le même que d'habitude.
HAMM. — Regarde la terre.
CLOV. — Je l'ai regardée.
HAMM. — A la lunette?
CLOV. — Pas besoin de lunette.
HAMM. — Regarde-la à la lunette.
CLOV. — Je vais chercher la lunette.

Il sort.

HAMM. — Pas besoin de lunette!

Entre Clov, la lunette à la main.

CLOV. — Je suis de retour, avec la lunette. *(Il va vers la fenêtre à droite, la regarde.)* Il me faut l'escabeau.
HAMM. — Pourquoi? Tu as rapetissé? *(Clov sort, la lunette à la main.)* Je n'aime pas ça, je n'aime pas ça.

Entre Clov avec l'escabeau, mais sans la lunette.

CLOV. — J'apporte l'escabeau. *(Il installe l'escabeau sous la fenêtre à droite, monte dessus, se rend compte qu'il n'a pas la lunette, descend de l'escabeau.)* Il me faut la lunette.

Il va vers la porte.

HAMM *(avec violence).* — Mais tu as la lunette!
CLOV *(s'arrêtant, avec violence).* — Mais non, je
n'ai pas la lunette!

Il sort.

HAMM. — C'est d'un triste.

*Entre. Clov, la lunette à la main. Il va vers l'esca-
beau.*

CLOV. — Ça redevient gai. *(Il monte sur l'escabeau, braque la lunette sur le dehors. Elle lui échappe
des mains, tombe. Un temps.)* J'ai fait exprès. *(Il
descend de l'escabeau, ramasse la lunette, l'examine,
la braque sur la salle.)* Je vois... une foule en délire.
(Un temps.) Ça alors, pour une longue-vue c'est
une longue-vue. *(Il baisse la lunette, se tourne vers
Hamm.)* Alors? On ne rit pas?
HAMM *(ayant réfléchi).* — Moi non.
CLOV *(ayant réfléchi).* — Moi non plus. *(Il
monte sur l'escabeau, braque la lunette sur le dehors.)*
Voyons voir... *(Il regarde, en promenant la lunette.)*
Zéro... *(il regarde)*... zéro... *(il regarde)*... et zéro.
(Il baisse la lunette, se tourne vers Hamm.) Alors?
Rassuré?
HAMM. — Rien ne bouge. Tout est...
CLOV. — Zér —
HAMM *(avec violence).* — Je ne te parle pas!
(Voix normale.) Tout est... tout est... tout est
quoi? *(Avec violence.)* Tout est quoi?

Clov. — Ce que tout est? En un mot? C'est ça que tu veux savoir? Une seconde. *(Il braque la lunette sur le dehors, regarde, baisse la lunette, se tourne vers Hamm.)* Mortibus. *(Un temps.)* Alors? Content?

Hamm. — Regarde la mer.

Clov. — C'est pareil.

Hamm. — Regarde l'Océan!

Clov descend de l'escabeau, fait quelques pas vers la fenêtre à gauche, retourne prendre l'escabeau, l'installe sous la fenêtre à gauche, monte dessus, braque la lunette sur le dehors, regarde longuement. Il sursaute, baisse la lunette, l'examine, la braque de nouveau.

Clov. — Jamais vu une chose comme ça!

Hamm *(inquiet).* — Quoi? Une voile? Une nageoire? Une fumée?

Clov *(regardant toujours).* — Le fanal est dans le canal.

Hamm *(soulagé).* — Pah! Il l'était déjà.

Clov *(de même).* — Il en restait un bout.

Hamm. — La base.

Clov *(de même).* — Oui.

Hamm. — Et maintenant?

Clov *(de même).* — Plus rien.

Hamm. — Pas de mouettes?

Clov *(de même).* — Mouettes!

HAMM. — Et l'horizon? Rien à l'horizon?

CLOV *(baissant la lunette, se tournant vers Hamm, exaspéré).* — Mais que veux-tu qu'il y ait à l'horizon?

Un temps.

HAMM. — Les flots, comment sont les flots?

CLOV. — Les flots? *(Il braque la lunette.)* Du plomb.

HAMM. — Et le soleil?

CLOV *(regardant toujours).* — Néant.

HAMM. — Il devrait être en train de se coucher pourtant. Cherche bien.

CLOV *(ayant cherché).* — Je t'en fous.

HAMM. — Il fait donc nuit déjà?

CLOV *(regardant toujours).* — Non.

HAMM. — Alors quoi?

CLOV *(de même).* — Il fait gris. *(Baissant la lunette et se tournant vers Hamm, plus fort.)* Gris! *(Un temps. Encore plus fort.)* GRRIS!

Il descend de l'escabeau, s'approche de Hamm par derrière et lui parle à l'oreille.

HAMM *(sursautant).* — Gris! Tu as dit gris?

CLOV. — Noir clair. Dans tout l'univers.

HAMM. — Tu vas fort. *(Un temps.)* Ne reste pas là, tu me fais peur.

Clov retourne à sa place à côté du fauteuil.

169

CLOV. — Pourquoi cette comédie, tous les jours?

HAMM. — La routine. On ne sait jamais. *(Un temps.)* Cette nuit j'ai vu dans ma poitrine. Il y avait un gros bobo.

CLOV. — Tu as vu ton cœur.

HAMM. — Non, c'était vivant. *(Un temps. Avec angoisse.)* Clov!

CLOV. — Oui.

HAMM. — Qu'est-ce qui se passe?

CLOV. — Quelque chose suit son cours.

Un temps.

HAMM. — Clov!

CLOV *(agacé)*. — Qu'est-ce que c'est?

HAMM. — On n'est pas en train de... de... signifier quelque chose?

CLOV. — Signifier? Nous, signifier! *(Rire bref.)* Ah elle est bonne!

HAMM. — Je me demande. *(Un temps.)* Une intelligence, revenue sur terre, ne serait-elle pas tentée de se faire des idées, à force de nous observer? *(Prenant la voix de l'intelligence.)* Ah, bon, je vois ce que c'est, oui, je vois ce qu'ils font! *(Clov sursaute, lâche la lunette et commence à se gratter le bas-ventre des deux mains. Voix normale.)* Et même sans aller jusque-là, nous-mêmes... *(avec émotion)*... nous-mêmes... par moments... *(Véhé-*

ment.) Dire que tout cela n'aura peut-être pas été pour rien!

CLOV *(avec angoisse, se grattant).* — J'ai une puce!

HAMM. — Une puce! Il y a encore des puces?

CLOV *(se grattant).* — A moins que ce ne soit un morpion.

HAMM *(très inquiet).* — Mais à partir de là l'humanité pourrait se reconstituer! Attrape-la, pour l'amour du ciel!

CLOV. — Je vais chercher la poudre.

Il sort.

HAMM. — Une puce! C'est épouvantable. Quelle journée!

Entre Clov, un carton verseur à la main.

CLOV. — Je suis de retour, avec l'insecticide.

HAMM. — Flanque-lui en plein la lampe!

Clov dégage sa chemise du pantalon, déboutonne le haut de celui-ci, l'écarte de son ventre et verse la poudre dans le trou. Il se penche, regarde, attend, tressaille, reverse frénétiquement de la poudre, se penche, regarde, attend.

CLOV. — La vache!

HAMM. — Tu l'as eue?

CLOV. — On dirait. *(Il lâche le carton et arrange ses vêtements.)* A moins qu'elle ne se tienne coïte.

171

HAMM. — Coïte! Coite, tu veux dire. A moins qu'elle ne se tienne coite.

CLOV. — Ah! On dit coite? On ne dit pas coïte?

HAMM. — Mais voyons! Si elle se tenait coïte nous serions baisés.

Un temps.

CLOV. — Et ce pipi?

HAMM. — Ça se fait.

CLOV. — Ah ça c'est bien, ça c'est bien.

Un temps.

HAMM *(avec élan).* — Allons-nous-en tous les deux, vers le sud! Sur la mer! Tu nous feras un radeau. Les courants nous emporteront, loin, vers d'autres... mammifères!

CLOV. — Parle pas de malheur.

HAMM. — Seul, je m'embarquerai seul! Prépare-moi ce radeau immédiatement. Demain je serai loin.

CLOV *(se précipitant vers la porte).* — Je m'y mets tout de suite.

HAMM. — Attends! *(Clov s'arrête.)* Tu crois qu'il y aura des squales?

CLOV. — Des squales? Je ne sais pas. S'il y en a il y en aura.

Il va vers la porte.

HAMM. — Attends! *(Clov s'arrête.)* Ce n'est pas encore l'heure de mon calmant?

CLOV (*avec violence*). — Non!

Il va vers la porte.

HAMM. — Attends! (*Clov s'arrête.*) Comment vont tes yeux?

CLOV. — Mal.

HAMM. — Mais tu vois.

CLOV. — Suffisamment.

HAMM. — Comment vont tes jambes?

CLOV. — Mal.

HAMM. — Mais tu marches.

CLOV. — Je vais, je viens.

HAMM. — Dans ma maison. (*Un temps. Prophétique et avec volupté.*) Un jour tu seras aveugle. Comme moi. Tu seras assis quelque part, petit plein perdu dans le vide, pour toujours, dans le noir. Comme moi. (*Un temps.*) Un jour tu te diras, Je suis fatigué, je vais m'asseoir, et tu iras t'asseoir. Puis tu te diras, J'ai faim, je vais me lever et me faire à manger. Mais tu ne te lèveras pas. Tu te diras, J'ai eu tort de m'asseoir, mais puisque je me suis assis je vais rester assis encore un peu, puis je me lèverai et je me ferai à manger. Mais tu ne te lèveras pas et tu ne te feras pas à manger. (*Un temps.*) Tu regarderas le mur un peu, puis tu te diras, Je vais fermer les yeux, peut-être dormir un peu, après ça ira mieux, et tu les fermeras. Et quand tu les rouvriras il n'y aura plus

de mur. *(Un temps.)* L'infini du vide sera autour de toi, tous les morts de tous les temps ressuscités ne le combleraient pas, tu y seras comme un petit gravier au milieu de la steppe. *(Un temps.)* Oui, un jour tu sauras ce que c'est, tu seras comme moi, sauf que toi tu n'auras personne, parce que tu n'auras eu pitié de personne et qu'il n'y aura plus personne de qui avoir pitié.

Un temps.

Clov. — Ce n'est pas dit. *(Un temps.)* Et puis tu oublies une chose.

Hamm. — Ah.

Clov. — Je ne peux pas m'asseoir.

Hamm *(impatient).* — Eh bien, tu te coucheras, tu parles d'une affaire. Ou tu t'arrêteras, tout simplement, tu resteras debout, comme maintenant. Un jour tu te diras, Je suis fatigué, je vais m'arrêter. Qu'importe la posture!

Un temps.

Clov. — Vous voulez donc tous que je vous quitte?

Hamm. — Bien sûr.

Clov. — Alors je vous quitterai.

Hamm. — Tu ne peux pas nous quitter.

Clov. — Alors je ne vous quitterai pas.

Un temps.

HAMM. — Tu n'as qu'à nous achever. *(Un temps.)* Je te donne la combinaison du buffet si tu jures de m'achever.

CLOV. — Je ne pourrais pas t'achever.

HAMM. — Alors tu ne m'achèveras pas.

Un temps.

CLOV. — Je te quitte, j'ai à faire.

HAMM. — Tu te souviens de ton arrivée ici?

CLOV. — Non. Trop petit, tu m'as dit.

HAMM. — Tu te souviens de ton père?

CLOV *(avec lassitude).* — Même réplique. *(Un temps.)* Tu m'as posé ces questions des millions de fois.

HAMM. — J'aime les vieilles questions. *(Avec élan.)* Ah les vieilles questions, les vieilles réponses, il n'y a que ça! *(Un temps.)* C'est moi qui t'ai servi de père.

CLOV. — Oui. *(Il le regarde fixement.)* C'est toi qui m'as servi de cela.

HAMM. — Ma maison qui t'a servi de home.

CLOV. — Oui. *(Long regard circulaire.)* Ceci m'a servi de cela.

HAMM *(fièrement).* — Sans moi *(geste vers soi),* pas de père. Sans Hamm *(geste circulaire),* pas de home.

Un temps.

CLOV. — Je te quitte.

175

HAMM. — As-tu jamais pensé à une chose?

CLOV. — Jamais.

HAMM. — Qu'ici nous sommes dans un trou. *(Un temps.)* Mais derrière la montagne? Hein? Si c'était encore vert? Hein? *(Un temps.)* Flore! Pomone! *(Un temps. Avec extase.)* Cérès! *(Un temps.)* Tu n'auras peut-être pas besoin d'aller loin.

CLOV. — Je ne peux pas aller loin. *(Un temps.)* Je te quitte.

HAMM. — Mon chien est prêt?

CLOV. — Il lui manque une patte.

HAMM. — Il est soyeux?

CLOV. — C'est le genre loulou.

HAMM. — Va le chercher.

CLOV. — Il lui manque une patte.

HAMM. — Va le chercher! *(Clov sort.)* Ça avance.

Il sort son mouchoir, s'en essuie le visage sans le déplier, le remet dans sa poche. Entre Clov, tenant par une de ses trois pattes un chien noir en peluche.

CLOV. — Tes chiens sont là.

Il donne le chien à Hamm qui l'assied sur ses genoux, le palpe, le caresse.

HAMM. — Il est blanc, n'est-ce pas?

CLOV. — Presque.

HAMM. — Comment presque? Il est blanc ou il ne l'est pas?

CLOV. — Il ne l'est pas.

Un temps.

HAMM. — Tu as oublié le sexe.

CLOV *(vexé).* — Mais il n'est pas fini. Le sexe se met en dernier.

Un temps.

HAMM. — Tu n'as pas mis son ruban.

CLOV *(avec colère).* — Mais il n'est pas fini, je te dis! On finit son chien d'abord, puis on lui met son ruban!

Un temps.

HAMM. — Est-ce qu'il tient debout?

CLOV. — Je ne sais pas.

HAMM. — Essaie. *(Il rend le chien à Clov qui le pose sur le sol.)* Alors?

CLOV. — Attends.

Accroupi il essaie de faire tenir le chien debout, n'y arrive pas, le lâche. Le chien tombe sur le flanc.

HAMM. — Alors quoi?

CLOV. — Il tient.

HAMM *(tâtonnant).* — Où? Où est-il?

Clov remet le chien debout et le maintient.

CLOV. — Là.

Il prend la main de Hamm et la guide vers la tête du chien.

HAMM *(la main sur la tête du chien).* — Il me regarde?

CLOV. — Oui.

HAMM *(fier).* — Comme s'il me demandait d'aller promener.

CLOV. — Si l'on veut.

HAMM *(de même).* — Ou comme s'il me demandait un os. *(Il retire sa main.)* Laisse-le comme ça, en train de m'implorer.

> *Clov se redresse. Le chien retombe sur le flanc.*

CLOV. — Je te quitte.

HAMM. — Tu as eu tes visions?

CLOV. — Moins.

HAMM. — Il y a de la lumière chez la mère Pegg?

CLOV. — De la lumière! Comment veux-tu qu'il y ait de la lumière chez quelqu'un?

HAMM. — Alors elle s'est éteinte.

CLOV. — Mais bien sûr qu'elle s'est éteinte! S'il n'y en a plus c'est qu'elle s'est éteinte.

HAMM. — Non, je veux dire la mère Pegg.

CLOV. — Mais bien sûr qu'elle s'est éteinte! Qu'est-ce que tu as aujourd'hui?

HAMM. — Je suis mon cours. *(Un temps.)* On l'a enterrée?

CLOV. — Enterrée! Qui veux-tu qui l'enterre?

HAMM. — Toi.

CLOV. — Moi! Je n'ai pas assez à faire sans enterrer les gens?

HAMM. — Mais moi tu m'enterreras.

CLOV. — Mais non je ne t'enterrerai pas!

Un temps.

HAMM. — Elle était jolie, autrefois, comme un cœur. Et pas farouche pour un liard.

CLOV. — Nous aussi on était jolis — autrefois. Il est rare qu'on ne soit pas joli — autrefois.

Un temps.

HAMM. — Va me chercher la gaffe.

Clov va à la porte, s'arrête.

CLOV. — Fais ceci, fais cela, et je le fais. Je ne refuse jamais. Pourquoi?

HAMM. — Tu ne peux pas.

CLOV. — Bientôt je ne le ferai plus.

HAMM. — Tu ne pourras plus. *(Clov sort.)* Ah les gens, les gens, il faut tout leur expliquer.

Entre Clov, la gaffe à la main.

CLOV. — Voilà ta gaffe. Avale-la.

Il donne la gaffe à Hamm qui s'efforce, en prenant appui dessus, à droite, à gauche, devant lui, de déplacer le fauteuil.

179

HAMM. — Est-ce que j'avance?
CLOV. — Non.

Hamm jette la gaffe.

HAMM. — Va chercher la burette.
CLOV. — Pour quoi faire?
HAMM. — Pour graisser les roulettes.
CLOV. — Je les ai graissées hier.
HAMM. — Hier! Qu'est-ce que ça veut dire? Hier!
CLOV *(avec violence)*. — Ça veut dire il y a un foutu bout de misère. J'emploie les mots que tu m'as appris. S'ils ne veulent plus rien dire apprends-m'en d'autres. Ou laisse-moi me taire.

Un temps.

HAMM. — J'ai connu un fou qui croyait que la fin du monde était arrivée. Il faisait de la peinture. Je l'aimais bien. J'allais le voir, à l'asile. Je le prenais par la main et le traînais devant la fenêtre. Mais regarde! Là! Tout ce blé qui lève! Et là! Regarde! Les voiles des sardiniers! Toute cette beauté! *(Un temps.)* Il m'arrachait sa main et retournait dans son coin. Épouvanté. Il n'avait vu que des cendres. *(Un temps.)* Lui seul avait été épargné. *(Un temps.)* Oublié. *(Un temps.)* Il paraît que le cas n'est... n'était pas si... si rare.
CLOV. — Un fou? Quand cela?

HAMM. — Oh c'est loin, loin. Tu n'étais pas encore de ce monde.

CLOV. — La belle époque!

Un temps. Hamm soulève sa calotte.

HAMM. — Je l'aimais bien. *(Un temps. Il remet sa calotte. Un temps.)* Il faisait de la peinture.

CLOV. — Il y a tant de choses terribles.

HAMM. — Non non, il n'y en a plus tellement. *(Un temps.)* Clov.

CLOV. — Oui.

HAMM. — Tu ne penses pas que ça a assez duré?

CLOV. — Si! *(Un temps.)* Quoi?

HAMM. — Ce... cette... chose.

CLOV. — Je l'ai toujours pensé. *(Un temps.)* Pas toi?

HAMM *(morne)*. — Alors c'est une journée comme les autres.

CLOV. — Tant qu'elle dure. *(Un temps.)* Toute la vie les mêmes inepties.

Un temps.

HAMM. — Moi je ne peux pas te quitter.

CLOV. — Je sais. Et tu ne peux pas me suivre.

Un temps.

HAMM. — Si tu me quittes comment le saurai-je?

CLOV *(avec animation)*. — Eh bien tu me siffles

et si je n'accours pas c'est que je t'aurai quitté.

Un temps.

HAMM. — Tu ne viendras pas me dire adieu?
CLOV. — Oh je ne pense pas.

Un temps.

HAMM. — Mais tu pourrais être seulement mort
dans ta cuisine.
CLOV. — Ça reviendrait au même.
HAMM. — Oui, mais comment le saurais-je, si
tu étais seulement mort dans ta cuisine?
CLOV. — Eh bien... je finirais bien par puer.
HAMM. — Tu pues déjà. Toute la maison pue le
cadavre.
CLOV. — Tout l'univers.
HAMM *(avec colère)*. — Je m'en fous de l'univers!
(Un temps.) Trouve quelque chose.
CLOV. — Comment?
HAMM. — Un truc, trouve un truc. *(Un temps.*
Avec colère.) Une combine!
CLOV. — Ah bon. *(Il commence à marcher de*
long en large, les yeux rivés au sol, les mains derrière
le dos. Il s'arrête.) J'ai mal aux jambes, c'est pas
croyable. Je ne pourrai bientôt plus penser.
HAMM. — Tu ne pourras pas me quitter. *(Clov*
repart.) Qu'est-ce que tu fais?
CLOV. — Je combine. *(Il marche.)* Ah!

Il s'arrête.

HAMM. — Quel penseur! *(Un temps.)* Alors?

CLOV. — Attends. *(Il se concentre. Pas très convaincu.)* Oui... *(Un temps. Plus convaincu.)* Oui. *(Il relève la tête.)* Voilà. Je mets le réveil.

Un temps.

HAMM. — Je ne suis peut-être pas dans un de mes bons jours, mais —

CLOV. — Tu me siffles. Je ne viens pas. Le réveil sonne. Je suis loin. Il ne sonne pas. Je suis mort.

Un temps.

HAMM. — Est-ce qu'il marche? *(Un temps. Impatient.)* Le réveil, est-ce qu'il marche?

CLOV. — Pourquoi ne marcherait-il pas?

HAMM. — D'avoir trop marché.

CLOV. — Mais il n'a presque pas marché.

HAMM *(avec colère).* — Alors d'avoir trop peu marché!

CLOV. — Je vais voir. *(Il sort. Jeu de mouchoir. Brève sonnerie du réveil en coulisse. Entre Clov, le réveil à la main. Il l'approche de l'oreille de Hamm, déclenche la sonnerie. Ils l'écoutent sonner jusqu'au bout. Un temps.)* Digne du jugement dernier! Tu as entendu?

HAMM. — Vaguement.

CLOV. — La fin est inouïe.

HAMM. — Je préfère le milieu. *(Un temps.)* Ce n'est pas l'heure de mon calmant?

CLOV. — Non. *(Il va à la porte, se retourne.)* Je te quitte.

HAMM. — C'est l'heure de mon histoire. Tu veux écouter mon histoire?

CLOV. — Non.

HAMM. — Demande à mon père s'il veut écouter mon histoire.

Clov va aux poubelles, soulève le couvercle de celle de Nagg, regarde dedans, se penche dessus. Un temps. Il se redresse.

CLOV. — Il dort.

HAMM. — Réveille-le.

Clov se penche, réveille Nagg en faisant sonner le réveil. Mots confus. Clov se redresse.

CLOV. — Il ne veut pas écouter ton histoire.

HAMM. — Je lui donnerai un bonbon.

Clov se penche. Mots confus. Clov se redresse.

CLOV. — Il veut une dragée.

HAMM. — Il aura une dragée.

Clov se penche. Mots confus. Clov se redresse.

CLOV. — Il marche. *(Clov va vers la porte. Les*

mains de Nagg apparaissent, accrochées au rebord.
Puis la tête émerge. Clov ouvre la porte, se retourne.)
Tu crois à la vie future?

HAMM. — La mienne l'a toujours été. *(Clov sort*
en claquant la porte.) Pan! Dans les gencives.

NAGG. — J'écoute.

HAMM. — Salopard! Pourquoi m'as-tu fait?

NAGG. — Je ne pouvais pas savoir.

HAMM. — Quoi? Qu'est-ce que tu ne pouvais
pas savoir?

NAGG. — Que ce serait toi. *(Un temps.)* Tu me
donneras une dragée?

HAMM. — Après l'écoute.

NAGG. — Juré?

HAMM. — Oui.

NAGG. — Sur quoi?

HAMM. — L'honneur.

Un temps. Ils rient.

NAGG. — Deux?

HAMM. — Une.

NAGG. — Une pour moi et une —

HAMM. — Une! Silence! *(Un temps.)* Où en
étais-je? *(Un temps. Morne.)* C'est cassé, nous
sommes cassés. *(Un temps.)* Ça va casser. *(Un*
temps.) Il n'y aura plus de voix. *(Un temps.)* Une
goutte d'eau dans la tête, depuis les fontanelles.
(Hilarité étouffée de Nagg.) Elle s'écrase toujours
au même endroit. *(Un temps.)* C'est peut-être une

petite veine. *(Un temps.)* Une petite artère. *(Un temps. Plus animé.)* Allons, c'est l'heure, où en étais-je? *(Un temps. Ton de narrateur.)* L'homme s'approcha lentement, en se traînant sur le ventre. D'une pâleur et d'une maigreur admirables il paraissait sur le point de — *(Un temps. Ton normal.)* Non, ça je l'ai fait. *(Un temps. Ton de narrateur.)* Un long silence se fit entendre. *(Ton normal.)* Joli ça. *(Ton de narrateur.)* Je bourrai tranquillement ma pipe — en magnésite, l'allumai avec une... mettons une suédoise, en tirai quelques bouffées. Aah! *(Un temps.)* Allons, je vous écoute. *(Un temps.)* Il faisait ce jour-là, je m'en souviens, un froid extraordinairement vif, zéro au thermomètre. Mais comme nous étions la veille de Noël cela n'avait rien de... d'extraordinaire. Un temps de saison, comme cela vous arrive. *(Un temps.)* Allons, quel sale vent vous amène? Il leva vers moi son visage tout noir de saleté et de larmes mêlées. *(Un temps. Ton normal.)* Ça va aller. *(Ton de narrateur.)* Non, non, ne me regardez pas, ne me regardez pas! Il baissa les yeux, en marmottant, des excuses sans doute. *(Un temps.)* Je suis assez occupé, vous savez, les préparatifs de fête. *(Un temps. Avec force.)* Mais quel est donc l'objet de cette invasion? *(Un temps.)* Il faisait ce jour-là, je me rappelle, un soleil vraiment splendide, cinquante à l'héliomètre, mais il plongeait déjà, dans

la... chez les morts. *(Ton normal.)* Joli ça. *(Ton de narrateur.)* Allons, allons, présentez votre supplique, mille soins m'appellent. *(Ton normal.)* Ça c'est du français! Enfin. *(Ton de narrateur.)* Ce fut alors qu'il prit sa résolution. C'est mon enfant, dit-il. Aïeaïeaïe, un enfant, voilà qui est fââcheux. Mon petit, dit-il, comme si le sexe avait de l'importance. D'où sortait-il? Il me nomma le trou. Une bonne demi-journée, à cheval. N'allez pas me raconter qu'il y a encore de la population là-bas. Tout de même! Non, non, personne, sauf lui, et l'enfant — en supposant qu'il existât. Bon bon. Je m'enquis de la situation à Kov, de l'autre côté du détroit. Plus un chat. Bon bon. Et vous voulez me faire croire que vous avez laissé votre enfant là-bas, tout seul, et vivant par-dessus le marché? Allons! *(Un temps.)* Il faisait ce jour-là, je m'en souviens, un vent cinglant, cent à l'anémomètre. Il arrachait les pins morts et les emportait... au loin. *(Ton normal.)* Un peu faible ça. *(Ton de narrateur.)* Allons, allons, qu'est-ce que vous me voulez à la fin, je dois allumer mon sapin. *(Un temps.)* Enfin bref je finis par comprendre qu'il me voulait du pain pour son enfant. Du pain! Un gueux, comme d'habitude. Du pain? Mais je n'ai pas de pain, je ne le digère pas. Bon. Alors du blé? *(Un temps. Ton normal.)* Ça va aller. *(Ton de narrateur.)* Du blé, j'en ai, il est vrai, dans mes greniers. Mais

réfléchissez, réfléchissez. Je vous donne du blé, un kilo, un kilo et demi, vous le rapportez à votre enfant et vous lui en faites — s'il vit encore — une bonne bouillie *(Nagg réagit)*, une bonne bouillie et demie, bien nourrissante. Bon. Il reprend ses couleurs — peut-être. Et puis? *(Un temps.)* Je me fââchai. Mais réfléchissez, réfléchissez, vous êtes sur terre, c'est sans remède! *(Un temps.)* Il faisait ce jour-là, je me rappelle, un temps excessivement sec, zéro à l'hygromètre. Le rêve, pour mes rhumatismes. *(Un temps. Avec emportement.)* Mais enfin quel est votre espoir? Que la terre renaisse au printemps? Que la mer et les rivières redeviennent poissonneuses? Qu'il y ait encore de la manne au ciel pour des imbéciles comme vous? *(Un temps.)* Peu à peu je m'apaisai, enfin suffisamment pour lui demander combien de temps il avait mis pour venir. Trois jours pleins. Dans quel état il avait laissé l'enfant. Plongé dans le sommeil. *(Avec force.)* Mais dans quel sommeil, dans quel sommeil déjà? *(Un temps.)* Enfin bref je lui proposai d'entrer à mon service. Il m'avait remué. Et puis je m'imaginais déjà n'en avoir plus pour longtemps. *(Il rit. Un temps.)* Alors? *(Un temps.)* Alors? *(Un temps.)* Ici en faisant attention vous pourriez mourir de votre belle mort, les pieds au sec. *(Un temps.)* Alors? *(Un temps.)* Il finit par me demander si je consentirais à recueillir l'enfant aussi

— s'il vivait encore. *(Un temps.)* C'était l'instant que j'attendais. *(Un temps.)* Si je consentirais à recueillir l'enfant. *(Un temps.)* Je le revois, à genoux, les mains appuyées au sol, me fixant de ses yeux déments, malgré ce que je venais de lui signifier à ce propos. *(Un temps. Ton normal.)* Suffit pour aujourd'hui. *(Un temps.)* Je n'en ai plus pour longtemps avec cette histoire. *(Un temps.)* A moins d'introduire d'autres personnages. *(Un temps.)* Mais où les trouver? *(Un temps.)* Où les chercher? *(Un temps. Il siffle. Entre Clov.)* Prions Dieu.

Nagg. — Ma dragée!

Clov. — Il y a un rat dans la cuisine.

Hamm. — Un rat! Il y a encore des rats?

Clov. — Dans la cuisine il y en a un.

Hamm. — Et tu ne l'as pas exterminé?

Clov. — A moitié. Tu nous as dérangés.

Hamm. — Il ne peut pas se sauver?

Clov. — Non.

Hamm. — Tu l'achèveras tout à l'heure. Prions Dieu.

Clov. — Encore?

Nagg. — Ma dragée!

Hamm. — Dieu d'abord! *(Un temps.)* Vous y êtes?

Clov *(résigné)*. — Allons-y.

Hamm *(à Nagg)*. — Et toi?

189

NAGG *(joignant les mains, fermant les yeux, débit précipité).* — Notre père qui êtes aux...

HAMM. — Silence! En silence! Un peu de tenue! Allons-y. *(Attitudes de prière. Silence. Se décourageant le premier.)* Alors?

CLOV *(rouvrant les yeux).* Je t'en fous! Et toi?

HAMM. — Bernique! *(A Nagg.)* Et toi?

NAGG. — Attends. *(Un temps. Rouvrant les yeux.)* Macache!

HAMM. — Le salaud! Il n'existe pas!

CLOV. — Pas encore.

NAGG. — Ma dragée!

HAMM. — Il n'y a plus de dragées.

Un temps.

NAGG. — C'est normal. Après tout je suis ton père. Il est vrai que si ce n'avait pas été moi ç'aurait été un autre. Mais ce n'est pas une excuse. *(Un temps.)* Le rahat-loukoum, par exemple, qui n'existe plus, nous le savons bien, je l'aime plus que tout au monde. Et un jour je t'en demanderai, en contrepartie d'une complaisance, et tu m'en promettras. Il faut vivre avec son temps. *(Un temps.)* Qui appelais-tu, quand tu étais tout petit et avais peur, dans la nuit? Ta mère? Non. Moi. On te laissait crier. Puis on t'éloigna, pour pouvoir dormir. *(Un temps.)* Je dormais, j'étais comme un roi, et tu m'as fait réveiller pour que je t'écoute.

Ce n'était pas indispensable, tu n'avais pas vraiment besoin que je t'écoute. D'ailleurs je ne t'ai
pas écouté. *(Un temps.)* J'espère que le jour viendra
où tu auras vraiment besoin que je t'écoute, et
besoin d'entendre ma voix, une voix. *(Un temps.)*
Oui, j'espère que je vivrai jusque-là, pour t'entendre m'appeler comme lorsque tu étais tout petit,
et avais peur, dans la nuit, et que j'étais ton seul
espoir. *(Un temps. Nagg frappe sur le couvercle de
la poubelle de Nell. Un temps.)* Nell! *(Un temps.
Il frappe plus fort.)* Nell!

*Un temps. Nagg rentre dans sa poubelle, rabat
le couvercle. Un temps.*

HAMM. — Finie la rigolade. *(Il cherche en tâtonnant le chien.)* Le chien est parti.

CLOV. — Ce n'est pas un vrai chien, il ne peut
pas partir.

HAMM *(tâtonnant).* — Il n'est pas là.

CLOV. — Il s'est couché.

HAMM. — Donne-le. *(Clov ramasse le chien et
le donne à Hamm. Hamm le tient dans ses bras. Un
temps. Hamm jette le chien.)* Sale bête! *(Clov
commence à ramasser les objets par terre.)* Qu'est-ce
que tu fais?

CLOV. — De l'ordre. *(Il se redresse. Avec élan.)*
Je vais tout débarrasser!

Il se remet à ramasser.

HAMM. — De l'ordre!

CLOV *(se redressant)*. — J'aime l'ordre. C'est mon rêve. Un monde où tout serait silencieux et immobile et chaque chose à sa place dernière, sous la dernière poussière.

Il se remet à ramasser.

HAMM *(exaspéré)*. — Mais qu'est-ce que tu fabriques?

CLOV *(se redressant, doucement)*. — J'essaie de fabriquer un peu d'ordre.

HAMM. — Laisse tomber.

Clov laisse tomber les objets qu'il vient de ramasser.

CLOV. — Après tout, là ou ailleurs.

Il va vers la porte.

HAMM *(agacé)*. — Qu'est-ce qu'ils ont, tes pieds?

CLOV. — Mes pieds?

HAMM. — On dirait un régiment de dragons.

CLOV. — J'ai dû mettre mes brodequins.

HAMM. — Tes babouches te faisaient mal?

Un temps.

CLOV. — Je te quitte.

HAMM. — Non!

CLOV. — A quoi est-ce que je sers?

HAMM. — A me donner la réplique. *(Un temps.)* J'ai avancé mon histoire. *(Un temps.)* Je l'ai bien

192

avancée. *(Un temps.)* Demande-moi où j'en suis.

CLOV. — Oh, à propos, ton histoire?

HAMM *(très surpris).* — Quelle histoire?

CLOV. — Celle que tu te racontes depuis toujours.

HAMM. — Ah tu veux dire mon roman?

CLOV. — Voilà.

Un temps.

HAMM *(avec colère).* — Mais pousse plus loin, bon sang, pousse plus loin!

CLOV. — Tu l'as bien avancée, j'espère.

HAMM *(modeste).* — Oh pas de beaucoup, pas de beaucoup. *(Il soupire.)* Il y a des jours comme ça, on n'est pas en verve. *(Un temps.)* Il faut attendre que ça vienne. *(Un temps.)* Jamais forcer, jamais forcer, c'est fatal. *(Un temps.)* Je l'ai néanmoins avancée un peu. *(Un temps.)* Lorsqu'on a du métier, n'est-ce pas? *(Un temps. Avec force.)* Je dis que je l'ai néanmoins avancée un peu.

CLOV *(admiratif).* — Ça alors! Tu as quand même pu l'avancer!

HAMM *(modeste).* — Oh tu sais, pas de beaucoup, pas de beaucoup, mais tout de même, mieux que rien.

CLOV. — Mieux que rien! Ça alors tu m'épates.

HAMM. — Je vais te raconter. Il vient à plat ventre —

193

CLOV. — Qui ça?

HAMM. — Comment?

CLOV. — Qui, il?

HAMM. — Mais voyons! Encore un.

CLOV. — Ah celui-là! Je n'étais pas sûr.

HAMM. — A plat ventre pleurer du pain pour son petit. On lui offre une place de jardinier. Avant d'a... *(Clov rit.)* Qu'est-ce qu'il y a là de si drôle?

CLOV. — Une place de jardinier!

HAMM. — C'est ça qui te fait rire?

CLOV. — Ça doit être ça.

HAMM. — Ce ne serait pas plutôt le pain?

CLOV. — Ou le petit.

Un temps.

HAMM. — Tout cela est plaisant en effet. Veux-tu que nous pouffions un bon coup ensemble?

CLOV *(ayant réfléchi).* — Je ne pourrais plus pouffer aujourd'hui.

HAMM *(ayant réfléchi).* — Moi non plus. *(Un temps.)* Alors je continue. Avant d'accepter avec gratitude il demande s'il peut avoir son petit avec lui.

CLOV. — Quel âge?

HAMM. — Oh tout petit.

CLOV. — Il aurait grimpé aux arbres.

HAMM. — Tous les petits travaux.

CLOV. — Et puis il aurait grandi.

HAMM. — Probablement.

Un temps.

CLOV. — Mais pousse plus loin, bon sang, pousse plus loin!

HAMM. — C'est tout, je me suis arrêté là.

Un temps.

CLOV. — Tu vois la suite?

HAMM. — A peu près.

CLOV. — Ce n'est pas bientôt la fin?

HAMM. — J'en ai peur.

CLOV. — Bah, tu en feras une autre.

HAMM. — Je ne sais pas. *(Un temps.)* Je me sens un peu vidé. *(Un temps.)* L'effort créateur prolongé. *(Un temps.)* Si je pouvais me traîner jusqu'à la mer! Je me ferais un oreiller de sable et la marée viendrait.

CLOV. — Il n'y a plus de marée.

Un temps.

HAMM. — Va voir si elle est morte.

Clov va à la poubelle de Nell, soulève le couvercle, se penche. Un temps.

CLOV. — On dirait que oui.

Il rabat le couvercle, se redresse. Hamm soulève sa calotte. Un temps. Il la remet.

HAMM *(sans lâcher sa calotte)*. — Et Nagg?

195

Clov soulève le couvercle de la poubelle de Nagg, se penche. Un temps.

CLOV. — On dirait que non.

        Il rabat le couvercle, se redresse.

HAMM *(lâchant sa calotte).* — Qu'est-ce qu'il fait?

Clov soulève le couvercle de la poubelle de Nagg, se penche. Un temps.

CLOV. — Il pleure.

        Clov rabat le couvercle, se redresse.

HAMM. — Donc il vit. *(Un temps.)* As-tu jamais eu un instant de bonheur?

CLOV. — Pas à ma connaissance.

        Un temps.

HAMM. — Amène-moi sous la fenêtre. *(Clov va vers le fauteuil.)* Je veux sentir la lumière sur mon visage. *(Clov fait avancer le fauteuil.)* Tu te rappelles, au début, quand tu me faisais faire ma promenade, comme tu t'y prenais mal? Tu appuyais trop haut. A chaque pas tu manquais de me verser! *(Chevrotant.)* Héhé, on s'est bien amusés tous les deux, bien amusés! *(Morne.)* Puis on a pris l'habitude. *(Clov arrête le fauteuil face à la fenêtre à droite.)* Déjà? *(Un temps. Il renverse la tête. Un temps.)* Il fait jour?

CLOV. — Il ne fait pas nuit.

HAMM *(avec colère).* — Je te demande s'il fait jour!

CLOV. — Oui.

Un temps.

HAMM. — Le rideau n'est pas fermé?

CLOV. — Non.

Un temps.

HAMM. — Quelle fenêtre c'est?

CLOV. — La terre.

HAMM. — Je le savais! *(Avec colère.)* Mais il n'y a pas de lumière par là! L'autre! *(Clov pousse le fauteuil vers l'autre fenêtre.)* La terre! *(Clov arrête le fauteuil sous l'autre fenêtre. Hamm renverse la tête.)* Ça c'est de la lumière! *(Un temps.)* On dirait un rayon de soleil. *(Un temps.)* Non?

CLOV. — Non.

HAMM. — Ce n'est pas un rayon de soleil que je sens sur mon visage?

CLOV. — Non.

Un temps.

HAMM. — Je suis très blanc? *(Un temps. Avec violence.)* Je te demande si je suis très blanc!

CLOV. — Pas plus que d'habitude.

Un temps.

HAMM. — Ouvre la fenêtre.

CLOV. — Pour quoi faire?

HAMM. — Je veux entendre la mer.

CLOV. — Tu ne l'entendrais pas.

HAMM. — Même si tu ouvrais la fenêtre?

CLOV. — Non.

HAMM. — Alors ce n'est pas la peine de l'ouvrir?

CLOV. — Non.

HAMM *(avec violence)*. — Alors ouvre-là! *(Clov monte sur l'escabeau, ouvre la fenêtre. Un temps.)* Tu l'as ouverte?

CLOV. — Oui.

Un temps.

HAMM. — Tu me jures que tu l'as ouverte?

CLOV. — Oui.

Un temps.

HAMM. — Eh ben... *(Un temps.)* Elle doit être très calme. *(Un temps. Avec violence.)* Je te demande si elle est très calme!

CLOV. — Oui.

HAMM. — C'est parce qu'il n'y a plus de navigateurs. *(Un temps.)* Tu n'as plus beaucoup de conversation tout à coup. *(Un temps.)* Ça ne va pas?

CLOV. — J'ai froid.

HAMM. — On est quel mois? *(Un temps.)* Ferme la fenêtre, on rentre. *(Clov ferme la fenêtre, descend de l'escabeau, ramène le fauteuil à sa place, reste derrière le fauteuil, tête baissée.)* Ne reste pas

là, tu me fais peur. *(Clov retourne à sa place à côté du fauteuil.)* Père! *(Un temps. Plus fort.)* Père! *(Un temps.)* Va voir s'il a entendu.

Clov va à la poubelle de Nagg, soulève le couvercle, se penche dessus. Mots confus. Clov se redresse.

CLOV. — Oui.
HAMM. — Les deux fois?

Clov se penche. Mots confus. Clov se redresse.

CLOV. — Une seule.
HAMM. — La première ou la seconde?

Clov se penche. Mots confus. Clov se redresse.

CLOV. — Il ne sait pas.
HAMM. — Ça doit être la seconde.
CLOV. — On ne peut pas savoir.

Clov rabat le couvercle.

HAMM. — Il pleure toujours?
CLOV. — Non.
HAMM. — Pauvres morts! *(Un temps.)* Qu'est-ce qu'il fait?
CLOV. — Il suce son biscuit.
HAMM. — La vie continue. *(Clov retourne à sa place à côté du fauteuil.)* Donne-moi un plaid, je gèle.
CLOV. — Il n'y a plus de plaids.

Un temps.

HAMM. — Embrasse-moi. *(Un temps.)* Tu ne veux pas m'embrasser?

CLOV. — Non.

HAMM. — Sur le front.

CLOV. — Je ne veux t'embrasser nulle part.

Un temps.

HAMM *(tendant la main).* — Donne-moi la main au moins. *(Un temps.)* Tu ne veux pas me donner la main?

CLOV. — Je ne veux pas te toucher.

Un temps.

HAMM. — Donne-moi le chien. *(Clov cherche le chien.)* Non, pas la peine.

CLOV. — Tu ne veux pas ton chien?

HAMM. — Non.

CLOV. — Alors je te quitte.

HAMM *(tête baissée, distraitement).* — C'est ça.

Clov va à la porte, se retourne.

CLOV. — Si je ne tue pas ce rat il va mourir.

HAMM *(de même).* — C'est ça. *(Clov sort. Un temps.)* A moi. *(Il sort son mouchoir, le déplie, le tient à bout de bras ouvert devant lui.)* Ça avance. *(Un temps.)* On pleure, on pleure, pour rien, pour ne pas rire, et peu à peu... une vraie tristesse vous

gagne. *(Il replie son mouchoir, le remet dans sa poche, relève un peu la tête.)* Tous ceux que j'aurais pu aider. *(Un temps.)* Aider! *(Un temps.)* Sauver. *(Un temps.)* Sauver! *(Un temps.)* Ils sortaient de tous les coins. *(Un temps. Avec violence.)* Mais réfléchissez, réfléchissez, vous êtes sur terre, c'est sans remède! *(Un temps.)* Allez-vous-en et aimez-vous! Léchez-vous les uns les autres! *(Un temps. Plus calme.)* Quand ce n'était pas du pain c'était du mille-feuille. *(Un temps. Avec violence.)* Foutez-moi le camp, retournez à vos partouzes! *(Un temps. Bas.)* Tout ça, tout ça! *(Un temps.)* Même pas un vrai chien! *(Plus calme.)* La fin est dans le commencement et cependant on continue. *(Un temps.)* Je pourrais peut-être continuer mon histoire, la finir et en commencer une autre. *(Un temps.)* Je pourrais peut-être me jeter par terre. *(Il se soulève péniblement, se laisse retomber.)* Enfoncer mes ongles dans les rainures et me traîner en avant, à la force du poignet. *(Un temps.)* Ce sera la fin et je me demanderai ce qui a bien pu l'amener et je me demanderai ce qui a bien pu... *(il hésite)*... pourquoi elle a tant tardé. *(Un temps.)* Je serai là, dans le vieux refuge, seul contre le silence et... *(il hésite)*... l'inertie. Si je peux me taire, et rester tranquille, c'en sera fait, du son, et du mouvement. *(Un temps.)* J'aurai appelé mon père et j'aurai appelé mon... *(il hésite)*... mon fils. Et même deux

fois, trois fois, au cas où ils n'auraient pas entendu, à la première, ou à la seconde. *(Un temps.)* Je me dirai, Il reviendra. *(Un temps.)* Et puis? *(Un temps.)* Et puis? *(Un temps.)* Il n'a pas pu, il est allé trop loin. *(Un temps.)* Et puis? *(Un temps. Très agité.)* Toutes sortes de fantaisies! Qu'on me surveille! Un rat! Des pas! Des yeux! Le souffle qu'on retient et puis... *(il expire).* Puis parler, vite, des mots, comme l'enfant solitaire qui se met en plusieurs, deux, trois, pour être ensemble, et parler ensemble, dans la nuit. *(Un temps.)* Instants sur instants, plouff, plouff, comme les grains de mil de... *(il cherche)...* ce vieux Grec, et toute la vie on attend que ça vous fasse une vie. *(Un temps. Il veut reprendre, y renonce. Un temps.)* Ah y être, y être! *(Il siffle. Entre Clov, le réveil à la main. Il s'arrête à côté du fauteuil.)* Tiens! Ni loin ni mort?

CLOV. — En esprit seulement.

HAMM. — Lequel?

CLOV. — Les deux.

HAMM. — Loin tu serais mort.

CLOV. — Et inversement.

HAMM *(fièrement).* — Loin de moi c'est la mort. *(Un temps.)* Et ce rat?

CLOV. — Il s'est sauvé.

HAMM. — Il n'ira pas loin. *(Un temps. Inquiet.)* Hein?

CLOV. — Il n'a pas besoin d'aller loin.

Un temps.

HAMM. — Ce n'est pas l'heure de mon calmant?
CLOV. — Si.
HAMM. — Ah! Enfin! Donne vite!
CLOV. — Il n'y a plus de calmant.

Un temps.

HAMM *(épouvanté).* — Mon...! *(Un temps.)*
Plus de calmant!
CLOV. — Plus de calmant. Tu n'auras jamais
plus de calmant.

Un temps.

HAMM. — Mais la petite boîte ronde. Elle était
pleine!
CLOV. — Oui, mais maintenant elle est vide.

Un temps. Clov commence à tourner dans la pièce.
Il cherche un endroit où poser le réveil.

HAMM *(bas).* — Qu'est-ce que je vais faire. *(Un*
temps. Hurlant.) Qu'est-ce que je vais faire? *(Clov*
avise le tableau, le décroche, l'appuie par terre tou-
jours retourné contre le mur, accroche le réveil à sa
place.) Qu'est-ce que tu fais?
CLOV. — Trois petits tours.

Un temps.

HAMM. — Regarde la terre.

CLOV. — Encore?

HAMM. — Puisqu'elle t'appelle.

CLOV. — Tu as mal à la gorge? *(Un temps.)* Tu veux une pâte de guimauve? *(Un temps.)* Non? *(Un temps.)* Dommage.

Il va en chantonnant vers la fenêtre à droite, s'arrête devant, la regarde, la tête rejetée en arrière.

HAMM. — Ne chante pas!

CLOV *(se tournant vers Hamm).* — On n'a plus le droit de chanter?

HAMM. — Non.

CLOV. — Alors comment veux-tu que ça finisse?

HAMM. — Tu as envie que ça finisse?

CLOV. — J'ai envie de chanter.

HAMM. — Je ne pourrais pas t'en empêcher.

Un temps. Clov se retourne vers la fenêtre.

CLOV. — Qu'est-ce que j'ai fait de cet escabeau? *(Il le cherche des yeux.)* Tu n'as pas vu cet escabeau? *(Il cherche, le voit.)* Ah tout de même! *(Il va vers la fenêtre à gauche.)* Des fois je me demande si j'ai toute ma tête. Puis ça passe, je redeviens lucide. *(Il monte sur l'escabeau, regarde par la fenêtre.)* Putain! Elle est sous l'eau! *(Il regarde.)* Comment ça se fait? *(Il avance la tête, la main en visière.)* Il n'a pourtant pas plu. *(Il essuie la vitre, regarde. Un temps. Il se frappe le front.)* Que je

suis bête! Je me suis trompé de côté! *(Il descend de l'escabeau, fait quelques pas vers la fenêtre à droite.)* Sous l'eau! *(Il retourne prendre l'escabeau.)* Que je suis bête! *(Il traîne l'escabeau vers la fenêtre à droite.)* Des fois je me demande si j'ai tous mes esprits. Puis ça passe, je redeviens intelligent. *(Il installe l'escabeau sous la fenêtre à droite, monte dessus, regarde par la fenêtre. Il se tourne vers Hamm.)* Y a-t-il des secteurs qui t'intéressent particulièrement. *(Un temps.)* Ou rien que le tout?

HAMM *(faiblement)*. — Tout.

CLOV. — L'effet général? *(Un temps. Il se retourne vers la fenêtre.)* Voyons ça.

Il regarde.

HAMM. — Clov!

CLOV *(absorbé)*. — Mmm.

HAMM. — Tu sais une chose?

CLOV *(de même)*. — Mmm.

HAMM. — Je n'ai jamais été là. *(Un temps.)* Clov!

CLOV *(se tournant vers Hamm, exaspéré)*. — Qu'est-ce que c'est?

HAMM. — Je n'ai jamais été là.

CLOV. — Tu as eu de la veine.

Il se retourne vers la fenêtre.

HAMM. — Absent, toujours. Tout s'est fait sans moi. Je ne sais pas ce qui s'est passé. *(Un temps.)*

Tu sais ce qui s'est passé, toi? *(Un temps.)* Clov!

CLOV *(se tournant vers Hamm, exaspéré).* — Tu veux que je regarde cette ordure, oui ou non?

HAMM. — Réponds d'abord.

CLOV. — Quoi?

HAMM. — Tu sais ce qui s'est passé?

CLOV. — Où? Quand?

HAMM *(avec violence).* — Quand! Ce qui s'est passé! Tu ne comprends pas? Qu'est-ce qui s'est passé?

CLOV. — Qu'est-ce que ça peut foutre?

Il se retourne vers la fenêtre.

HAMM. — Moi je ne sais pas.

Un temps. Clov se tourne vers Hamm.

CLOV *(durement).* — Quand la mère Pegg te demandait de l'huile pour sa lampe et que tu l'envoyais paître, à ce moment-là tu savais ce qui se passait, non? *(Un temps.)* Tu sais de quoi elle est morte, la mère Pegg? D'obscurité.

HAMM *(faiblement).* — Je n'en avais pas.

CLOV *(de même).* — Si, tu en avais!

Un temps.

HAMM. — Tu as la lunette?

CLOV. — Non. C'est assez gros comme ça.

HAMM. — Va la chercher.

Un temps. Clov lève les yeux au ciel et les bras

en l'air, les poings fermés. Il perd l'équilibre, s'accroche à l'escabeau. Il descend quelques marches, s'arrête.

CLOV. — Il y a une chose qui me dépasse. *(Il descend jusqu'au sol, s'arrête.)* Pourquoi je t'obéis toujours. Peux-tu m'expliquer ça?

HAMM. — Non... C'est peut-être de la pitié. *(Un temps.)* Une sorte de grande pitié. *(Un temps.)* Oh tu auras du mal, tu auras du mal.

Un temps. Clov commence à tourner dans la pièce. Il cherche la lunette.

CLOV. — Je suis las de nos histoires, très las. *(Il cherche.)* Tu n'es pas assis dessus?

Il déplace le fauteuil, regarde à l'endroit qui était caché, se remet à chercher.

HAMM *(angoissé).* — Ne me laisse pas là! *(Clov remet rageusement le fauteuil à sa place, se remet à chercher. Faiblement.)* Je suis bien au centre?

CLOV. — Il faudrait un microscope pour trouver ce — *(Il voit la lunette.)* Ah tout de même!

Il ramasse la lunette, va à l'escabeau, monte dessus, braque la lunette sur le dehors.

HAMM. — Donne-moi le chien.

CLOV *(regardant).* — Tais-toi.

HAMM *(plus fort).* — Donne-moi le chien!

Clov laisse tomber la lunette, se prend la tête entre les mains. Un temps. Il descend précipitamment de l'escabeau, cherche le chien, le trouve, le ramasse, se précipite vers Hamm et lui en assène un grand coup sur le crâne.

CLOV. — Voilà ton chien!

Le chien tombe par terre. Un temps.

HAMM. — Il m'a frappé.

CLOV. — Tu me rends enragé, je suis enragé!

HAMM. — Si tu dois me frapper, frappe-moi avec la masse. *(Un temps.)* Ou avec la gaffe, tiens, frappe-moi avec la gaffe. Pas avec le chien. Avec la gaffe. Ou avec la masse.

Clov ramasse le chien et le donne à Hamm qui le prend dans ses bras.

CLOV *(implorant)*. — Cessons de jouer!

HAMM. — Jamais! *(Un temps.)* Mets-moi dans mon cercueil.

CLOV. — Il n'y a plus de cercueils.

HAMM. — Alors que ça finisse! *(Clov va vers l'escabeau. Avec violence.)* Et que ça saute! *(Clov monte sur l'escabeau, s'arrête, descend, cherche la lunette, la ramasse, remonte sur l'escabeau, lève la lunette.)* D'obscurité! Et moi? Est-ce qu'on m'a jamais pardonné, à moi?

CLOV *(baissant la lunette, se tournant vers Hamm).*
— Quoi? *(Un temps.)* C'est pour moi que tu dis
ça?

HAMM *(avec colère).* — Un aparté! Con! C'est
la première fois que tu entends un aparté? *(Un
temps.)* J'amorce mon dernier soliloque.

CLOV. — Je te préviens. Je vais regarder cette
dégoûtation puisque tu l'ordonnes. Mais c'est
bien la dernière fois. *(Il braque la lunette.)* Voyons
voir... *(Il promène la lunette.)* Rien... rien... bien...
très bien... rien... parf — *(Il sursaute, baisse la
lunette, l'examine, la braque de nouveau. Un temps.)*
Aïeaïeaïe!

HAMM. — Encore des complications! *(Clov descend de l'escabeau.)* Pourvu que ça ne rebondisse
pas!

*Clov rapproche l'escabeau de la fenêtre, monte
dessus, braque la lunette. Un temps.*

CLOV. — Aïeaïeaïe!

HAMM. — C'est une feuille? Une fleur? Une
toma — *(il bâille)* — te?

CLOV *(regardant).* — Je t'en foutrai des tomates!
Quelqu'un! C'est quelqu'un!

HAMM. — Eh bien, va l'exterminer. *(Clov descend de l'escabeau.)* Quelqu'un! *(Vibrant.)* Fais
ton devoir! *(Clov se précipite vers la porte.)*
Non, pas la peine. *(Clov s'arrête.)* Quelle distance?

Clov retourne à l'escabeau, monte dessus, braque la lunette.

CLOV. — Soixante... quatorze mètres.

HAMM. — Approchant? S'éloignant?

CLOV *(regardant toujours)*. — Immobile.

HAMM. — Sexe?

CLOV. — Quelle importance? *(Il ouvre la fenêtre, se penche dehors. Un temps. Il se redresse, baisse la lunette, se tourne vers Hamm. Avec effroi.)* On dirait un môme.

HAMM. — Occupation?

CLOV. — Quoi?

HAMM *(avec violence)*. — Qu'est-ce qu'il fait?

CLOV *(de même)*. — Je ne sais pas ce qu'il fait! Ce que faisaient les mômes. *(Il braque la lunette. Un temps. Il baisse la lunette, se tourne vers Hamm.)* Il a l'air assis par terre, adossé à quelque chose.

HAMM. — La pierre levée. *(Un temps.)* Ta vue s'améliore. *(Un temps.)* Il regarde la maison sans doute, avec les yeux de Moïse mourant.

CLOV. — Non.

HAMM. — Qu'est-ce qu'il regarde?

CLOV *(avec violence)*. — Je ne sais pas ce qu'il regarde! *(Il braque la lunette. Un temps. Il baisse la lunette, se tourne vers Hamm.)* Son nombril. Enfin par là. *(Un temps.)* Pourquoi tout cet interrogatoire?

HAMM. — Il est peut-être mort.

CLOV. — Je vais y aller. *(Il descend de l'escabeau, jette la lunette, va vers la porte, s'arrête.)* Je prends la gaffe.

Il cherche la gaffe, la ramasse, va vers la porte.

HAMM. — Pas la peine.

Clov s'arrête.

CLOV. — Pas la peine? Un procréateur en puissance?

HAMM. — S'il existe il viendra ici ou il mourra là. Et s'il n'existe pas ce n'est pas la peine.

Un temps.

CLOV. — Tu ne me crois pas? Tu crois que j'invente?

Un temps.

HAMM. — C'est fini, Clov, nous avons fini. Je n'ai plus besoin de toi.

Un temps.

CLOV. — Ça tombe bien.

Il va vers la porte.

HAMM. — Laisse-moi la gaffe.

Clov lui donne la gaffe, va vers la porte, s'arrête, regarde le réveil, le décroche, cherche des yeux une meilleure place, va à l'escabeau, pose le réveil sur

l'escabeau, retourne à sa place près du fauteuil. Un temps.

CLOV. — Je te quitte.

Un temps.

HAMM. — Avant de partir, dis quelque chose.

CLOV. — Il n'y a rien à dire.

HAMM. — Quelques mots... que je puisse repasser... dans mon cœur.

CLOV. — Ton cœur!

HAMM. — Oui. *(Un temps. Avec force.)* Oui! *(Un temps.)* Avec le reste, à la fin, les ombres, les murmures, tout le mal, pour terminer. *(Un temps.)* Clov... *(Un temps.)* Il ne m'a jamais parlé. Puis, à la fin, avant de partir, sans que je lui demande rien, il m'a parlé. Il m'a dit...

CLOV *(accablé).* — Ah...!

HAMM. — Quelque chose... de ton cœur.

CLOV. — Mon cœur!

HAMM. — Quelques mots... de ton cœur.

CLOV *(chante).*

> Joli oiseau, quitte ta cage,
> Vole vers ma bien-aimée,
> Niche-toi dans son corsage,
> Dis-lui combien je suis emmerdé.

Un temps.

Assez?

HAMM *(amèrement)*. — Un crachat!

Un temps.

CLOV *(regard fixe, voix blanche)*. — On m'a dit,
Mais c'est ça, l'amour, mais si, mais si, crois-
moi, tu vois bien que —

HAMM. — Articule!

CLOV *(de même)*. — que c'est facile. On m'a dit,
Mais c'est ça, l'amitié, mais si, mais si, je t'assure,
tu n'as pas besoin de chercher plus loin. On m'a
dit, C'est là, arrête-toi, relève la tête et regarde
cette splendeur. Cet ordre! On m'a dit, Allons,
tu n'es pas une bête, pense à ces choses-là et tu
verras comme tout devient clair. Et simple! On
m'a dit, Tous ces blessés à mort, avec quelle science
on les soigne.

HAMM. — Assez!

CLOV *(de même)*. — Je me dis — quelquefois,
Clov, il faut que tu arrives à souffrir mieux que
ça, si tu veux qu'on se lasse de te punir — un jour.
Je me dis — quelquefois, Clov, il faut que tu sois
là mieux que ça, si tu veux qu'on te laisse partir —
un jour. Mais je me sens trop vieux, et trop loin,
pour pouvoir former de nouvelles habitudes. Bon,
ça ne finira donc jamais, je ne partirai donc jamais.
(Un temps.) Puis un jour, soudain, ça finit, ça
change, je ne comprends pas, ça meurt, ou c'est
moi, je ne comprends pas, ça non plus. Je le

demande aux mots qui restent — sommeil, réveil,
soir, matin. Ils ne savent rien dire. *(Un temps.)*
J'ouvre la porte du cabanon et m'en vais. Je suis
si voûté que je ne vois que mes pieds, si j'ouvre
les yeux, et entre mes jambes un peu de poussière
noirâtre. Je me dis que la terre s'est éteinte, quoique
je ne l'aie jamais vue allumée. *(Un temps.)* Ça va
tout seul. *(Un temps.)* Quand je tomberai je pleure-
rai de bonheur.

Un temps. Il va vers la porte.

Hamm. — Clov! *(Clov s'arrête sans se retourner. Un temps.)* Rien. *(Clov repart.)* Clov!

Clov s'arrête sans se retourner.

Clov. — C'est ce que nous appelons gagner la
sortie.

Hamm. — Je te remercie, Clov.

Clov *(se retournant, vivement)*. — Ah pardon,
c'est moi qui te remercie.

Hamm. — C'est nous qui nous remercions. *(Un
temps. Clov va à la porte.)* Encore une chose. *(Clov
s'arrête.)* Une dernière grââce. *(Clov sort.)* Cache-
moi sous le drap. *(Un temps long.)* Non? Bon.
(Un temps.) A moi. *(Un temps.)* De jouer. *(Un
temps. Avec lassitude.)* Vieille fin de partie perdue,
finir de perdre. *(Un temps. Plus animé.)* Voyons.
(Un temps.) Ah oui! *(Il essaie de déplacer le fauteuil en prenant appui sur la gaffe. Pendant ce temps*

*entre Clov. Panama, veston de tweed, imperméable
sur le bras, parapluie, valise. Près de la porte, impassible, les yeux fixés sur Hamm, Clov reste immobile
jusqu'à la fin. Hamm renonce.)* Bon. *(Un temps.)*
Jeter. *(Il jette la gaffe, veut jeter le chien, se ravise.)*
Pas plus haut que le cul. *(Un temps.)* Et puis?
(Un temps.) Enlever. *(Il enlève sa calotte.)* Paix
à nos... fesses. *(Un temps.)* Et remettre. *(Il remet
sa calotte.)* Égalité. *(Un temps. Il enlève ses lunettes.)*
Essuyer. *(Il sort son mouchoir et, sans le déplier,
essuie ses lunettes.)* Et remettre. *(Il remet le mouchoir dans sa poche, remet ses lunettes.)* On arrive.
Encore quelques conneries comme ça et j'appelle.
(Un temps.) Un peu de poésie. *(Un temps.)* Tu
appelais — *(Un temps. Il se corrige.)* Tu RÉCLA-
MAIS le soir; il vient — *(Un temps. Il se corrige.)*
Il DESCEND : le voici. *(Il reprend, très chantant.)* Tu
réclamais le soir; il descend : le voici. *(Un temps.)*
Joli ça. *(Un temps.)* Et puis? *(Un temps.)* Instants nuls, toujours nuls, mais qui font le compte,
que le compte y est, et l'histoire close. *(Un temps.
Ton de narrateur.)* S'il pouvait avoir son petit avec
lui... *(Un temps.)* C'était l'instant que j'attendais.
(Un temps.) Vous ne voulez pas l'abandonner?
Vous voulez qu'il grandisse pendant que vous,
vous rapetissez? *(Un temps.)* Qu'il vous adoucisse
les cent mille derniers quarts d'heure? *(Un temps.)*
Lui ne se rend pas compte, il ne connaît que la

faim, le froid et la mort au bout. Mais vous! Vous devez savoir ce que c'est, la terre, à présent. *(Un temps.)* Oh je l'ai mis devant ses responsabilités! *(Un temps. Ton normal.)* Eh bien ça y est, j'y suis, ça suffit. *(Il lève le sifflet, hésite, le lâche. Un temps.)* Oui, vraiment! *(Il siffle. Un temps. Plus fort. Un temps.)* Bon. *(Un temps.)* Père! *(Un temps. Plus fort.)* Père! *(Un temps.)* Bon. *(Un temps.)* On arrive. *(Un temps.)* Et pour terminer? *(Un temps.)* Jeter. *(Il jette le chien. Il arrache le sifflet.)* Tenez! *(Il jette le sifflet devant lui. Un temps. Il renifle. Bas.)* Clov! *(Un temps long.)* Non? Bon. *(Il sort son mouchoir.)* Puisque ça se joue comme ça... *(il déplie le mouchoir)*... jouons ça comme ça... *(il déplie)*... et n'en parlons plus... *(il finit de déplier)*... ne parlons plus. *(Il tient à bout de bras le mouchoir ouvert devant lui.)* Vieux linge! *(Un temps.)* Toi — je te garde.

Un temps. Il ramène le mouchoir vers lui, s'en couvre le visage, laisse retomber les bras sur les accoudoirs et ne bouge plus.

RIDEAU

ACTE SANS PAROLE I

Acte sans parole I *a été créé le 1er avril 1957 au* Royal Court Theatre, *à Londres, et repris le même mois au* Studio des Champs Élysées, *à Paris, avec Deryk Mendel dans le rôle de l'homme.*

PERSONNAGE.

Un homme. Geste familier : il plie et déplie son mouchoir.

SCÈNE.

Désert. Éclairage éblouissant.

ARGUMENT.

Projeté à reculons de la coulisse droite, l'homme trébuche, tombe, se relève aussitôt, s'époussette, réfléchit.

Coup de sifflet coulisse droite.

Il réfléchit, sort à droite.

Rejeté aussitôt en scène, il trébuche, tombe, se relève aussitôt, s'époussette, réfléchit.

Coup de sifflet coulisse gauche.

Il réfléchit, sort à gauche.

Rejeté aussitôt en scène, il trébuche, tombe, se relève aussitôt, s'époussette, réfléchit.

Coup de sifflet coulisse gauche.

Il réfléchit, va vers la coulisse gauche, s'arrête

avant de l'atteindre, se jette en arrière, trébuche, tombe, se relève aussitôt, s'époussette, réfléchit.

Un petit arbre descend des cintres, atterrit. Une seule branche à trois mètres du sol et à la cime une maigre touffe de palmes qui projette une ombre légère.

Il réfléchit toujours.

Coup de sifflet en haut.

Il se retourne, voit l'arbre, réfléchit, va vers l'arbre, s'assied à l'ombre, regarde ses mains.

Des ciseaux de tailleur descendent des cintres, s'immobilisent devant l'arbre à un mètre du sol.

Il regarde toujours ses mains.

Coup de sifflet en haut.

Il lève la tête, voit les ciseaux, réfléchit, les prend et commence à se tailler les ongles.

Les palmes se rabattent contre le tronc, l'ombre disparaît.

Il lâche les ciseaux, réfléchit.

Une petite carafe, munie d'une grande étiquette rigide portant l'inscription EAU, descend des cintres, s'immobilise à trois mètres du sol.

Il réfléchit toujours.

Coup de sifflet en haut.

Il lève les yeux, voit la carafe, réfléchit, se lève, va sous la carafe, essaie en vain de l'atteindre, se détourne, réfléchit.

Un grand cube descend des cintres, atterrit.

Il réfléchit toujours.

Coup de sifflet en haut.

Il se retourne, voit le cube, le regarde, regarde la carafe, prend le cube, le place sous la carafe, en éprouve la stabilité, monte dessus, essaie en vain d'atteindre la carafe, descend, rapporte le cube à sa place, se détourne, réfléchit.

Un second cube plus petit descend des cintres, atterrit.

Il réfléchit toujours.

Coup de sifflet en haut.

Il se retourne, voit le second cube, le regarde, le place sous la carafe, en éprouve la stabilité, monte dessus, essaie en vain d'atteindre la carafe, descend, veut rapporter le cube à sa place, se ravise, le dépose, va chercher le grand cube, le place sur le petit, en éprouve la stabilité, monte dessus, le grand cube glisse, il tombe, se relève aussitôt, s'époussette, réfléchit.

Il prend le petit cube, le place sur le grand, en éprouve la stabilité, monte dessus et va atteindre la carafe lorsque celle-ci remonte légèrement et s'immobilise hors d'atteinte.

Il descend, réfléchit, rapporte les cubes à leur place, l'un après l'autre, se détourne, réfléchit.

Un troisième cube encore plus petit descend des cintres, atterrit.

Il réfléchit toujours.

Coup de sifflet en haut.

Il se retourne, voit le troisième cube, le regarde, réfléchit, se détourne, réfléchit.

Le troisième cube remonte et disparaît dans les cintres.

A côté de la carafe, une corde à nœuds descend des cintres, s'immobilise à un mètre du sol.

Il réfléchit toujours.

Coup de sifflet en haut.

Il se retourne, voit la corde, réfléchit, monte à la corde et va atteindre la carafe lorsque la corde se détend et le ramène au sol.

Il se détourne, réfléchit, cherche des yeux les ciseaux, les voit, va les ramasser, retourne vers la corde et entreprend de la couper.

La corde se tend, le soulève, il s'accroche, achève de couper la corde, retombe, lâche les ciseaux, tombe, se relève aussitôt, s'époussette, réfléchit.

La corde remonte vivement et disparaît dans les cintres.

Avec son bout de corde il fait un lasso dont il se sert pour essayer d'attraper la carafe.

La carafe remonte vivement et disparaît dans les cintres.

Il se détourne, réfléchit.

Lasso en main il va vers l'arbre, regarde la branche, se retourne, regarde les cubes, regarde de nouveau la branche, lâche le lasso, va vers les

cubes, prend le petit et le porte sous la branche, retourne prendre le grand et le porte sous la branche, veut placer le grand sur le petit, se ravise, place le petit sur le grand, en éprouve la stabilité, regarde la branche, se détourne et se baisse pour reprendre le lasso.

La branche se rabat le long du tronc.

Il se redresse, le lasso à la main, se retourne, constate.

Il se détourne, réfléchit.

Il rapporte les cubes à leur place, l'un après l'autre, enroule soigneusement le lasso et le pose sur le petit cube.

Il se détourne, réfléchit.

Coup de sifflet coulisse droite.

Il réfléchit, sort à droite.

Rejeté aussitôt en scène, il trébuche, tombe, se relève aussitôt, s'époussette, réfléchit.

Coup de sifflet coulisse gauche.

Il ne bouge pas.

Il regarde ses mains, cherche des yeux les ciseaux, les voit, va les ramasser, commence à se tailler les ongles, s'arrête, réfléchit, passe le doigt sur la lame des ciseaux, l'essuie avec son mouchoir, va poser ciseaux et mouchoir sur le petit cube, se détourne, ouvre son col, dégage son cou et le palpe.

Le petit cube remonte et disparaît dans les cintres emportant lasso, ciseaux et mouchoir.

Il se retourne pour reprendre les ciseaux, constate, s'assied sur le grand cube.

Le grand cube s'ébranle, le jetant par terre, remonte et disparaît dans les cintres.

Il reste allongé sur le flanc, face à la salle, le regard fixe.

La carafe descend, s'immobilise à un demi-mètre de son corps.

Il ne bouge pas.

Coup de sifflet en haut.

Il ne bouge pas.

La carafe descend encore, se balance autour de son visage.

Il ne bouge pas.

La carafe remonte et disparaît dans les cintres.

La branche de l'arbre se relève, les palmes se rouvrent, l'ombre revient.

Coup de sifflet en haut.

Il ne bouge pas.

L'arbre remonte et disparaît dans les cintres.

Il regarde ses mains.

RIDEAU

ACTE SANS PAROLE II

POUR DEUX PERSONNAGES
ET UN AIGUILLON

Acte sans paroles II *a été créé le 2 juillet 1964 à l'*Aldwych Theatre, *à Londres, Freddie Jones interprétant A et Geoffrey Hinsliff B.*

Ce mime se joue au fond de la scène sur une plate-forme étroite dressée d'une coulisse à l'autre et vivement éclairée sur toute sa longueur.

Des deux personnages le premier A est lent et maladroit (gags lorsqu'il s'habille et se déshabille), le second B précis et vif. De ce fait les deux actions, quoique B ait plus à faire que A, ont à peu près la même durée.

ARGUMENT.

Par terre, côte à côte, à deux mètres de la coulisse droite (par rapport au spectateur), deux sacs, celui de A et celui de B, celui-là à droite de celui-ci, c'est-à-dire plus près de la coulisse. A côté du sac B un petit tas de vêtements (C) soigneusement rangés (veste et pantalon surmontés d'un chapeau et d'une paire de chaussures).

Entre à droite l'aiguillon, strictement horizontal. La pointe s'immobilise à trente centimètres du

sac A. Un temps. La pointe recule, s'immobilise un instant, se fiche dans le sac, se retire, reprend sa place à trente centimètres du sac. Un temps. Le sac ne bouge pas. La pointe recule de nouveau, un peu plus que la première fois, s'immobilise un instant, se fiche de nouveau dans le sac, se retire, reprend sa place à trente centimètres du sac. Un temps. Le sac bouge. L'aiguillon sort.

A, vêtu d'une chemise, sort à quatre pattes du sac, s'immobilise, rêvasse, joint les mains, prie, rêvasse, se lève, rêvasse, sort de la poche de sa chemise une petite fiole contenant des pilules, rêvasse, avale une pilule, rentre la fiole, rêvasse, va jusqu'au petit tas de vêtements, rêvasse, s'habille, rêvasse, sort de la poche de sa veste une grosse carotte entamée, mord dedans, mâche brièvement, crache avec dégoût, rentre la carotte, rêvasse, ramasse les deux sacs et les porte, en titubant sous le poids, au centre de la plate-forme, les dépose rêvasse, se déshabille (garde sa chemise), jette ses vêtements par terre n'importe comment, rêvasse, ressort la fiole, avale une autre pilule, rêvasse, s'agenouille, prie, rentre à quatre pattes dans le sac et s'immobilise. Le sac A est maintenant à gauche du sac B.

Un temps.

Entre l'aiguillon, monté sur un premier support
à grandes roues. La pointe s'immobilise à trente
centimètres du sac B. Un temps. La pointe recule,
s'immobilise un instant, se fiche dans le sac, se
retire, reprend sa place à trente centimètres du
sac. Un temps. Le sac bouge. L'aiguillon sort.

B, vêtu d'une chemise, sort à quatre pattes du
sac, se lève, sort une grande montre de la poche
de sa chemise, la consulte, la rentre, fait quelques
mouvements de gymnastique, consulte de nouveau sa montre, sort une brosse à dents de sa
poche et se brosse vigoureusement les dents, rentre
la brosse, consulte sa montre, se frotte vigoureusement le cuir chevelu, sort un peigne de sa poche
et se peigne, rentre le peigne, consulte sa montre,
va jusqu'aux vêtements, s'habille, consulte sa
montre, sort une brosse à habits de la poche de
sa veste et se brosse vigoureusement les vêtements,
enlève son chapeau, se brosse vigoureusement les
cheveux, remet son chapeau, rentre la brosse,
consulte sa montre, sort la carotte de la poche de
sa veste, mord dedans, mâche et avale avec appé-
tit, rentre la carotte, consulte sa montre, sort de
la poche de sa veste la carte du pays, la consulte,

rentre la carte, consulte sa montre, sort une boussole de la poche de sa veste et la consulte, rentre la boussole, consulte sa montre, ramasse les deux sacs et les porte, en titubant sous le poids, à deux mètres de la coulisse gauche, les dépose, consulte sa montre, se déshabille (garde sa chemise), fait de ses vêtements un petit tas identique à celui du début, consulte sa montre, se frotte le cuir chevelu, se peigne, consulte sa montre, se brosse les dents, consulte et remonte sa montre, rentre à quatre pattes dans le sac et s'immobilise. Le sac B est maintenant de nouveau à gauche du sac A comme au début.

Un temps.

Entre l'aiguillon, monté sur le premier support à roues suivi à quelque distance d'un second identique. La pointe s'immobilise à trente centimètres du sac A. Un temps. La pointe recule, s'immobilise un instant, se fiche dans le sac, se retire, reprend sa place à trente centimètres du sac. Un temps. Le sac ne bouge pas. La pointe recule de nouveau, un peu plus que la première fois, s'immobilise un instant, se fiche de nouveau dans le sac, se retire, reprend sa place à trente centimètres du sac. Un temps. Le sac bouge. L'aiguillon sort.

ACTE SANS PAROLE II

A sort à quatre pattes du sac, s'immobilise, joint
les mains, prie.

RIDEAU

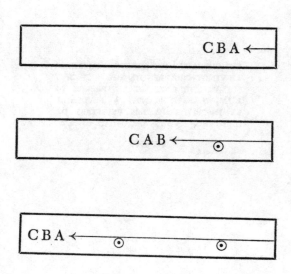

AVANT-SCÈNE

CET OUVRAGE A ÉTÉ ACHEVÉ D'IMPRIMER
LE VINGT-QUATRE JUIN MIL NEUF CENT
SOIXANTE ET ONZE SUR LES PRESSES DE
L'IMPRIMERIE FLOCH, A MAYENNE,
ET INSCRIT DANS LES REGISTRES DE
L'ÉDITEUR SOUS LE NUMÉRO 878

(10200)

Imprimé en France.

D1234482